英米文学者と読む「約束のネバーランド」

戸田 慧
Toda Kei

a pilot of wisdom

まえがき　〜『約束のネバーランド』という氷山〜

『約束のネバーランド』（以下、『約ネバ』）は白井カイウ（原作）、出水《でみず》ぽすか（作画）による漫画であり、『週刊少年ジャンプ』において二〇一六年から連載を開始し、二〇二〇年六月に完結しました。コミックス累計《るいけい》二一〇〇万部を超える大ヒット作でありながら、いわゆる「少年漫画」の王道とされるバトル展開などとは異なる性格を持った異色作として掲載当初から話題になりました。

私も一話を『週刊少年ジャンプ』で読み始めた時、予想を覆《くつがえ》されるスリリングな展開にあっという間に惹《ひ》き付けられてしまい、気づけばアリスがウサギ穴に落ちて不思議の国に迷い込むように『約ネバ』の魅力に吸い込まれてしまいました。

その後、『約ネバ』はみるみるうちに注目を集め、二〇一七年に第六三回小学館漫画賞（少年向け部門）を受賞し、二〇一八年には宝島社の「このマンガがすごい！」オトコ編一位を獲得。フランスや韓国での漫画賞も受賞、さらにアニメ化、実写映画化、海外実写ドラマ化も決定するなど、日本を代表する人気サスペンス・アクション漫画となりました。

『約ネバ』の魅力を語る時、しばしば「ジャンプらしくない」という言葉が使われてきましたが（もちろん良い意味で）、これはシンプルなアクション漫画とは異なる、複雑な頭脳戦や心理戦、意表を突くどんでん返しといった要素を指していると思われます。

しかし、『約ネバ』の持つ強烈な魅力はサスペンス的要素だけでは説明のつかないものがあります。一ファンとして毎週月曜日の『週刊少年ジャンプ』発売日を待ちわびるようにして『約ネバ』を読み続けるうちに、私の中でむくむくとこみ上げてくる想《おも》いがありました。「これはただの漫画ではない。文学だ！」と。

何を文学と見なすかは時代や読者の価値観の変化によって揺れ動いてしまうため、客観的な物差しはないといえますが、本書の場合はひとまず、文学とは「筋書を超えた深い意味や象徴に満ち、現実世界や他の文学作品と深く結びついた物語」としたいと思います。『約ネバ』もまた、イギリスの文化や児童文学、宗教、ジェンダーといった非常に幅広い要素を巧みに取り入れた深みを持つ物語に見えるのです。

『老人と海』で知られるアメリカの小説家アーネスト・ヘミングウェイ（Ernest Hemingway, 1899–1961）は、文学の持つ力は実は書かれていない部分にこそあると言っており、「氷山の動きに威厳があるのは、水面下にあって見えない氷山の八分の七があるからだ」（文献1・七五九頁）と述べていますが、まさに『約ネバ』において、読んですぐに理解できることは、あくまでも氷山の一角に過ぎず（それだけでも十二分に魅力的で楽しく、そして複雑なのですが）、その下には膨大な語られざる物語が存在しており、それがこの漫画に「文学」と呼ぶにふさわしい威厳と、「ジャンプらしくない」とも表現される深い魅力を与えているのだと思います。

しかしある時期から、この氷山の隠れた八分の七を読み取るためには、ある程度の知識が必要なのでは、とも思い始めました。私は大学でアメリカ文学・文化、英米の児童文学、アメリカにおけるユダヤ教やキリスト教について教えているのですが、『約ネバ』に散りばめられた知識の幅広さと深さにはいつも驚かされます。

そこで本書では『約ネバ』をより深く味わうための手がかりとして、イギリスやアメリカの文化やイギリス児童文学、ユダヤ・キリスト教についての基礎的な知識を提供し、「文学」としての『約ネバ』の解釈の可能性を紹介したいと思います。

ここでお断りしておかなければならないのは、本書はありがたいことに『週刊少年ジャンプ』編集部の許可のもと、『約ネバ』の漫画の絵を多数使用させていただいておりますが、あくまで『約ネバ』を一人の英米文学研究者の視点から読んだ一考察であり、漫画の作者である白井カイウ先生、出水ぽすか先生の意図や意見を代弁するものではなく、また「こう読んだら正解ですよ」という公式解読本でもないということです。

そのため、作者の意図とはズレた解釈や深読みのしすぎ、あるいは重要な要素を見逃していることもあると思います。しかし、そういった部分も含め、本書を読まれる方には作品を深く読み、これまで気づかなかった点を発見する喜びや、自由に解釈する楽しみを味わっていただければと思っております。

また、本書は英米の文学、文化、宗教に関する入門書として読むこともできます。『約ネバ』という入り口から、様々な小説や文化へ関心を広げるきっかけになれば幸いです。

なお、本書はネタバレを存分に含みます。予想が覆される時の興奮こそ、『約ネバ』の醍醐味《だいごみ》ですので、まだ『約ネバ』を読んでいない方は、できればコミックス一巻から一九巻までを読み進めてから、本書をお読みいただくことをお勧めいたします。

今後、二〇二〇年一二月に実写映画が、二〇二一年一月にアニメ第二期が公開されるに従い、もう一度漫画を読んでみようと思われる方も多いと思われますが、その際に本書が『約ネバ』をより深く楽しむための一助になればと願っています。

目次

表紙・本文デザイン／iDept.
主要登場キャラクター一覧・あらすじ・図版キャプション文責／集英社新書編集部
「まえがき」末尾のイメージカット／コミックス一巻表紙より
各章扉イラスト／出水ぽすか
方形へブライ文字・原シナイ文字図表作成／MOTHER

主要登場キャラクター一覧

人間達

GF（グレイス＝フィールド）ハウス

エマをはじめとする子供達が暮らす孤児院。その実態は、鬼に出荷するための食用児を育てる「農園」だった。GF以外にも複数の農園が存在するが、GFは最上級とされる。

エマ

抜群の運動神経と学習能力を兼ね備えたムードメーカーの少女。子供達の中心に立つリーダー。

ノーマン

優れた分析力《ぶんせきりょく》と判断力を備えた、ハウスで一番の天才。予想外の「出荷」を命じられるが……？

レイ

GFハウスの子供達の中で唯一《ゆいいつ》ノーマンと渡り合える知恵者。持ち前の冷静さでエマを支える。

コニー（&リトルバーニー）

六歳の時に里親が見つかったと告げられる。リトルバーニーは彼女が大切にするウサギの人形。

イザベラ

エマ達を育て上げた優秀な飼育監。GFハウスの子供達からは「ママ」と慕われている。

クローネ

イザベラの補佐《ほさ》としてハウスに派遣されたシスター。飼育監の地位を狙《ねら》い、策略を巡らすが――。

グランマ（大母様）

複数の農園を統括《とうかつ》・管理し、飼育監や飼育長らを束ねる地位にある女性。飼育監の人事権も握る。

ラートリー家の一族

一〇〇〇年前に鬼と「約束」を結んだ人間の末裔《まつえい》。人間の世界と鬼の世界の間で両者の調停役を務める。

兄　ジェイムズ・ラートリー

食用児の脱走を助ける道具や施設を残した「支援者」。ウィリアム・ミネルヴァを名乗っていた。

弟　ピーター・ラートリー

農園やゴールディ・ポンドから脱獄した子供達と、彼らを助ける「支援者」の抹殺《まっさつ》を進める。

GV（グランド＝ヴァレー）農園の子供達

「高級農園」出身。オリバーを中心に、ゴールディ・ポンドでの「人間狩り」を生き延びていた。

オリバー／ザック／ヴァイオレット／ジリアン

ルーカス

ゴールディ・ポンドでレウウィスとの死闘を経験し、生き残った。猟場《かりにわ》の中で身を潜《ひそ》めていた。

新型試験農園Λ《ラムダ》7214からの脱走者

試験農園の中でノーマンと知り合い、彼に恩義を感じて、忠実な部下として従っている。

ヴィンセント／バーバラ／シスロ

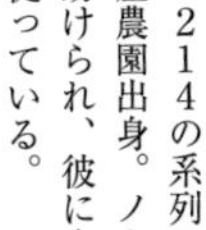

ハヤト

Λ7214の系列の新型量産農園出身。ノーマンに助けられ、彼に心酔して従っている。

アイシェ

鬼により農園から盗み出され育てられたため、鬼語を理解できる。ノーマンに部下として従う。

鬼達

GFハウスの鬼達

人間の子供達の発達した脳を高級食材として出荷するために、食用児を育てていた。

野良鬼達

群れで行動し、気性が激しく知能は低い。本能のままに人間を襲い、時には共食いも行う。

「邪血の少女」の一行

とある力のせいで王達に食い殺されたはずが、密《ひそ》かに生き延びて放浪の旅を続けている。

ソンジュ

信仰上の理由により、農園育ちの人間を食べないと決めている。ムジカと行動を共にする。

ムジカ

ソンジュと共に旅を続ける小柄な少女鬼。彼女の血はどうやら特別な力を持っているらしい。

王家

レグラヴァリマ

驚異的な戦闘能力と恐るべき貪欲《どんよく》さを誇り、多くの臣下を従えて君臨する、鬼の世界の女王。

五摂家

王家と共に鬼の世界を統治し、食用児を飼育する農園の運営も手がけている上級貴族達。

イヴェルク公／バイヨン卿《きょう》（当代）／ドッザ卿／ノウム卿（当代）／プポ卿

ギーラン

かつて策略にはめられ没落した元貴族。恨みを募らせ、王都への侵攻と王達への復讐《ふくしゅう》を企てる。

（本書では「あの方」）

伝承に残る不思議な空間に竜《りゅう》と共にいる。人間と鬼の「約束」の鍵《かぎ》を握っている存在。

GP（ゴールディ・ポンド）

バイヨン卿（先代）管轄《かんかつ》の「秘密の猟場」。人間との「約束」を破り、鬼が食用児を狩っていた。

GP（ゴールディ・ポンド）の鬼達

バイヨン卿（先代）

密かに生きた子供を仕入れてGPに放ち、親しい貴族鬼達を誘って「人間狩り」を楽しんでいた。

レウウィス大公（&パルウゥス）

人間との命を懸けた戦いを切望する、GPにおける最大の敵。パルウゥスはペットの猿《さる》型の鬼。

ノウス・ノウマ

高い身体能力で子供達を圧倒する、固い絆《きずな》で結ばれた貴族鬼の兄妹《きょうだい》。父はノウム卿（先代）。

ルーチェ

部下達を従え、弱い子供達を追い詰めて楽しむ、残忍《ざんにん》かつ陰湿な貴族鬼。ドッザ卿の息子。

※『約ネバ』にはこの他にも数多くの魅力的なキャラクターが出てきますが、紙幅の都合により、ここでは本書に登場するキャラクターを中心に紹介しています。あらかじめご了承下さい。

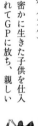

『約束のネバーランド』　あらすじ

孤児院・**グレイス＝フィールド**（ＧＦ）**ハウス**（以下、ＧＦハウス）の子供達は、「ママ」のように慕う**イザベラ**と幸せに暮らしていた。そんなある日、里親が見つかったと告げられ施設を巣立つことになった少女**コニー**が、大切な人形・リトルバーニーを忘れて行ってしまう。最年長の**エマ**と**ノーマン**は彼女を追いかけて人形を届けに向かうが、そこで目撃したのはコニーの亡骸《なきがら》とそれを囲む異形《いぎょう》の「**鬼**」達、そして死体の受け渡しを行うイザベラの姿だった。

ＧＦハウスは食用児を育てるための「農園」で、「ママ」のイザベラは子供達を食料として出荷していた。知能テストが毎日行われるのは、鬼が好む美味《おい》しい脳を育てるため——。衝撃の事実を知り、生き延びるために脱獄を決意したエマとノーマンは、同い年の**レイ**を仲間に加えて情報収集を開始する。しかしそんな中、計画の中心にいたノーマンの予想外の「出荷」が決まってしまう。一時は深い悲しみに沈むものの、エマ達は彼が命がけで残してくれた作戦を決行し、イザベラのわずかな隙《すき》を突いて「脱獄」を成功させる。

晴れて外の世界への脱出を果たしたエマ達は、協力者と思われる**W《ウイリアム》・ミネルヴァ**が示してくれた目標地点を目指す。その道中、彼女達は信仰により農園の人間を食べないという異端の鬼**ソンジュ**と少女鬼**ムジカ**に出会う。ソンジュが明かしたのは、エマ達が住むこの世界の成り立ちだった――。いわく、約一〇〇〇年前に人と鬼が交わした「**約束**」によって、それまで人間と鬼が殺し合いを続けていた世界は「人間の世界」と「鬼の世界」に分割され、鬼は人間を狩らないことが取り決められた。その代わりとして、鬼は「農園」によって人間を管理・養殖することになり、GFハウスは中でも最上級の子供達を育てる農園の一つなのだという。エマ達は鬼の世界に取り残された人間の子孫であることを知り、さらには二つの世界の間を行き来できる可能性があることに気づく。

わずかな希望を手にした子供達は旅を続ける。そうした中で、エマが次なる目的地**ゴールディ・ポンド**（GP）へとさらわれてしまう。そこは貴族鬼の**バイヨン卿（先代）**が密《ひそ》かに食用児を放ち、**レウウィス大公**ら鬼の貴族達を誘い合わせて「人間狩り」を楽しむ「秘密の猟場《かりにわ》」と化していた。狩りに巻き込まれたエマは、武器をそろえて反攻を企てる青年ルーカス達と出会い、共に貴族鬼達に立ち向かっていき、ついに最強の敵・レウウィス大公をはじめとする鬼の貴族達を討ち果たす。

鬼の貴族達との戦いを制したエマ達は、ついに鬼と人間の間の「約束」を新たに結び直すための手がかりを掴《つか》む。次なる目標を定めた一行だったが、ほどなくして「出荷」されてしまったはずのノーマンと驚愕《きょうがく》の再会を果たす。実は、彼は鬼の食料にされてしまったのではなく、新型試験農園「Λ《ラムダ》7214」に送られており、そこで仲間を得て脱獄してきたのだった。ノーマンは既《すで》に世を去ったW・ミネルヴァの名を利用して子供達を集め、戦力を整えると共に鬼の「絶滅」を計画していた。

ノーマンの過激な方針に賛同できず、鬼達との平和的な共存の道を探るエマは、新たな「約束」によって世界を変えるため、その鍵となる存在がいる「**七つの壁**」へと向かう。

一方ノーマンは、女王達に恨みを抱く元貴族・**ギーラン卿**を利用して、王都の襲撃と鬼達の殲滅《せんめつ》を進めようとする。

果たして、エマは「約束」を結び直し、食用児達を救うことができるのか。そしてノーマンによる絶滅計画は食い止められ、鬼と人間の共存は成り立つのか？『週刊少年ジャンプ』でもひときわ異彩を放つ、脱獄サスペンスの結末は——。

第1章

イギリス文学・文化とのつながり

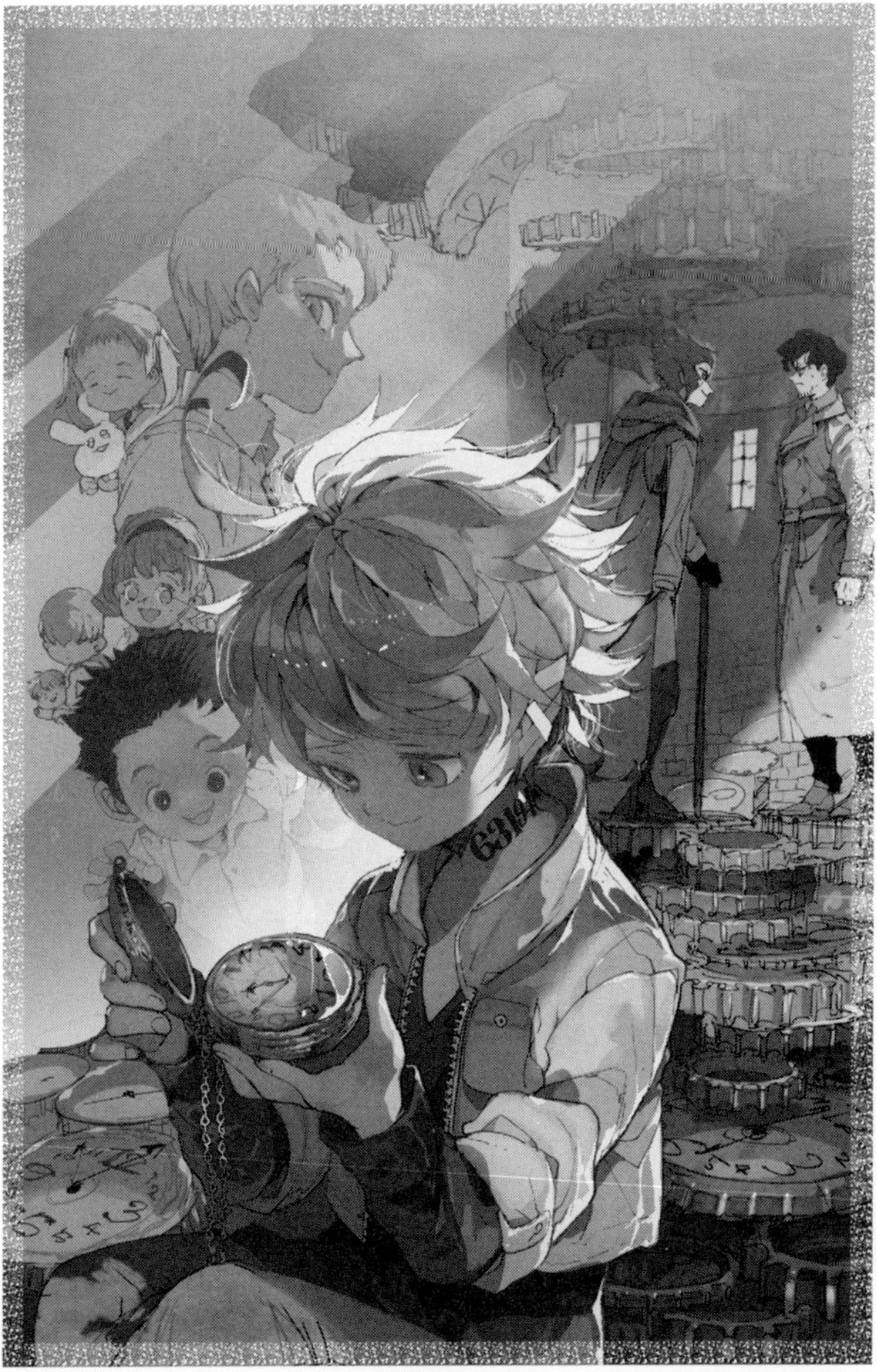

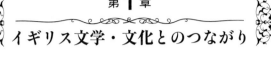

1

J・M・バリー『ピーター・パン』
～『約束のネバーランド』というタイトルの意味～

ネバーランド

『約ネバ』こと『約束のネバーランド』を読んだ方は、誰《だれ》もが一度は「『約束のネバーランド』ってどういう意味？」と思ったのではないでしょうか。「約束」とは何なのか、「ネバーランド」とは何を意味しているのか。この答えは漫画を読み進めるうちに少しずつ解明されるのですが、それでも全てをはっきり理解できたのかどうか分からない、謎《なぞ》多きタイトルだといえます。ここではイギリスを代表する児童文学である『ピーター・パン』を手がかりに、このタイトルの意味について考えていきたいと思います。

ネバーランドといえば、ご存じ故マイケル・ジャクソンの遊園地つきの豪邸《ごうてい》*1……ではなく、イギリスの小説家、劇作家であるジェイムス・マシュー・バリー（James Matthew

Barrie, 1860–1937）によって書かれた児童文学『ピーター・パンとウェンディ』（*Peter and Wendy*, 1911）に登場する、永遠に大人にならない子供達の楽園です。日本では『ピーター・パン』というタイトルで知られ、絵本やお芝居、ディズニー・アニメでも有名なので、誰もがその名前を聞いたことはあると思います。

まずはバリーが『ピーター・パンとウェンディ』を書いた背景を簡単に紹介したいと思います。ロンドンに暮らしていたバリーが愛犬の散歩のために訪れたケンジントン公園で、デイヴィス夫妻とその子供達と親しくなったことが、彼が『ピーター・パン』を書くきっかけになったといわれています。デイヴィス一家のジョージ、ジャック、ピーター、そして後に生まれたマイケル、ニコラスという子供達と共に、バリーは冒険ごっこをして遊びました。やがてバリーは遊びの中から生まれた物語を劇に仕立て上げ、

ジェイムス・マシュー・バリー
（Getty Images）

一九〇四年に初めて上演されるやいなや、大成功を収めます。以来、イギリスやアメリカでは『ピーター・パン』は毎年クリスマスに上演される子供のための劇として定着しました。この劇を小説に書き改めたものが、一九一一年に出版された『ピーター・パンとウェンディ』（以下、『ピーター・パン』）です。

『ピーター・パン』のあらすじを紹介しましょう。ロンドンに住む子供達ウェンディ、ジョン、マイケルの三人は、夜ごとに子供部屋を訪れる不思議な少年、ピーター・パンと共に、子供が年を取らないネバーランドへ冒険に出かけます。妖精《ようせい》ティンカー・ベルの粉の力で自由に空を飛び回るピーター・パンは、大人にならない永遠の少年としてネバーランドを守護し、「迷子達」（Lost Boys）と呼ばれる子供達のリーダーとして、大人であり宿敵でもある海賊フック船長と戦います。[*2] たくさんの冒険を経て、フック船長に勝利した後、ウェンディ達は元の世界に帰り、大人になっていくのですが、ピーター・パンは永遠の子供として、ウェンディの子供や、そのまた子供をネバーランドへ誘うのです（文献2）。

永遠に子供でいられる世界と聞くと、「子供のための理想郷」というイメージを持つかもしれません。実際、『ピーター・パン』における不滅の子供達というイメージは、一八世紀頃《ころ》から生まれ、作者バリーが活躍した一九世紀に欧米で盛んになった、子供は大人とは違う「天使のように汚れのない無垢《むく》なる存在」であり、子供時代こそ人間の理想の時期というイメージにもとづいていると考えられます（文献3・二五二頁）。

しかし、永遠の子供の楽園として理想化される一方で、『ピーター・パン』におけるネバーランドには、「子供の死」という暗い影も横たわっています。作者バリーが六歳の時に、一三歳の兄デイヴィッドが事故で亡くなってしまい、母親は生涯《しょうがい》その悲しみから立ち直ることはなく、死んだ兄は「十三歳の少年のまま」母親の胸の中に存在し続けた、とバリーは語っています（文献4・二三頁）。さらに、バリーは知り合いの子供達に『ピーター・パン』の物語を語って聞かせる時、ピーター・パンは死んだ子供達をネバーランドに連れて行く、とも語っています（文献5・三二八頁）。

つまり、ピーター・パンとその仲間である迷子達は、死んでしまったため永遠に大人にならず、「ネバーランド」（Neverland）、すなわち「どこにもない国」である天国で暮らしているのだと解釈することもできるのです。

『約ネバ』の中でも「ネバーランド」は子供達の楽園ではなく、死の世界としての意味を

大人になれない世界《ネバーランド》は
もう終《お》わり
14巻120話より

帯びています。孤児院のように見えたGFハウスで暮らす子供達は、実は一二歳になると「収穫」され、鬼の食料として食べられてしまう定めにあります。すなわち、エマ達が暮らす世界そのものが、子供が大人になれず死ぬ運命にある「ネバーランド」だといえるでしょう。

　これは作中でも明確に示されており、ノーマンはこのような世界のあり方に反旗を翻《ひるがえ》す際、「大人になれない世界《ネバーランド》はもう終わり」（一四巻一二〇話）と言っています。『ピーター・パン』の中で暗示されていた死の世界としてのネバーランドを、『約ネバ』はより明確に描き出しているといえます。

ピーター・パン、フック船長、スミー

さて、ここで注目すべきは『ピーター・パン』の登場人物にちなんだ名前がつけられたキャラクターが『約ネバ』で重要な役割を果たしている点です。それはピーター・ラートリー、ジェイムズ・ラートリー、そしてスミーです。

まずは『ピーター・パン』の主人公、ピーターについて見ていきましょう。ピーター・パンはもともと人間の世界に生まれた子供でしたが、ピーターが大人になったらどんな仕事につくかを両親が話し合っているのを聞いて、大人になんかなりたくない、ずっと子供のままで遊んでいたいと思い、赤ん坊でありながら自ら家出をしてしまいます。以来ピーターは子供のまま、ティンカー・ベルや迷子達と一緒《いっしょ》にネバーランドで暮らしています。

ピーターは海賊達から仲間を守る正義のヒーローという側面もありますが、うぬぼれ屋で自分勝手でもあり、人間の世界から連れて来たウェンディを迷子達の母親代わりにする

一方で、自分は父親としての役割を担《にな》うことを拒《こば》み、子供のままでいようとする身勝手さや未熟さも持ち合わせています。善良さとずるがしこさが混在するピーター・パンは、シェイクスピアの『真夏の夜の夢』の悪戯《いたずら》好きの妖精パックや、北欧神話におけるずるがしこい神ロキのように、善悪の両面を持ち、人間世界と神話世界を行き来して攪乱《かくらん》する悪戯者、すなわちトリックスターであるといえます。[*3]

それではピーター・パンと、『約ネバ』のピーター・ラートリーにはどのような関連性があるのでしょうか。ピーター・ラートリーは鬼と人間の世界間で交わされた、鬼と人間は争わず、別々の世界に住み分ける、その代わりに一部の人間を「食用児」として鬼に提供し続ける（六巻四七話）という「約束」を守る番人として、鬼側の世界に留《とど》まるラートリー家の現当主です。

彼は人間でありながら、この世界の均衡《きんこう》を守るために「食用児」は必要であると考え、「ネバーランドは終わらせない」（一九巻一六二話）と言います。すなわちピーター・パンが永遠の子供達の楽園であるネバーランドを守護したように、ピーター・ラートリーもまた食用児が大人になれない「ネバーランド」を守るのです。人間世界と鬼の世界を行き来

19巻162話より　ピーター・ラートリー

19巻162話より

し、様々な策略を巡らせ「約束」を死守するピーター・ラートリーは、正義のヒーローではなく、悪のトリックスターとしてのピーター・パンだといえるでしょう。

次に紹介するのはピーター・パンの敵、海賊フック船長です。フック船長はその名の通り「フック」(鉤《かぎ》)を片手につけ、仲間の海賊達と共に常にピーター・パンを殺そうと企《たくら》んでいます。ディズニー・アニメに登場するフック船長はドジなキャラクターとしてコミカルに描かれますが、原作の小説に登場するフック船長はイギリスの名門パブリック・スクール出身のエリートであり、上品な言葉遣いで、礼儀作法にこだわる大人として描かれます。

ピーター・パンが行儀などにこだわらない、自由奔放《ほんぽう》な永遠の子供という「若さ」の象徴であるのに対し、フック船長は堅苦しい伝統や礼儀にがんじがらめになり、「老い」と「死」に追われる大人として描かれます。

フック船長が「老い」と「死」を恐れていることは、彼をつけ狙うワニのエピソードから読み取ることができます。フック船長はかつてワニに片腕を食べられてしまい、それ以来、腕に鉤をつけ、自分を食べようと追って来るワニから逃げ続けています。このワニは時計を飲み込んでおり、いつもチクタクと音がするので、フック船長は時計の音が聞こえるとすぐさま逃げ出すのです。

時計の音を恐れるフック船長は、「時間」を恐れているともいえます。永遠の子供であるピーター・パンが決して恐れる必要のない、時間の経過によって訪れる「老い」と「死」から、フック船長は必死に逃げ続けているのです。ワニから逃げ続けるフック船長に対し、彼の腹心の部下である海賊スミーが「いつか時計のネジがほどけたら、やつは、かしらをつかまえるね?」と言うと、フックは「そのことよ。そのまぼろしが、いつもわしを追いかけておる」(文献2・一一五頁)と答えます。時計のネジがほどける、すなわち時計が止まる時は、フックが逃げ続けている「老い」と「死」が彼に追いつく時なのです。

この海賊フック船長のファースト・ネームこそ、「ジェイムズ」なのです。そう、人間と鬼の「約束」に逆らい、ミネルヴァというコードネームを使って食用児達を人間の世界に脱出させる手助けを行ったジェイムズ・ラートリー(九巻七二話)。エマ達食用児の救世主である彼の名前の由来は、意外にもピーター・パンの敵であるジェイムズ・フック船長だと考えられるのです。

9巻72話より　ジェイムズ・ラートリー（ウィリアム・ミネルヴァ）

ジェイムズ・ラートリーはピーター・ラートリーの兄であり、当初はラートリー家に課せられた「約束」の番人としての役目を果たしていましたが、最終的には食用児を解放するため、弟のピーターと対立することになります。まさに、ピーター・パン／ピーター・ラートリー対ジェイムズ・フック／ジェイムズ・ラートリーの構図ができ上がります。

さらにノーマンが鬼の研究所Λ《ラムダ》7214（以下、Λ）から脱出する際に、彼を手助けした人物のコードネームは「スミー」であると語られますが（一四巻一一九話）、スミーは先ほど触れたようにフック船長の腹心の部下であるため、「ジェイムズ」・ラートリーと考えを同じくする部下のコードネームにぴったりであるといえます。

このような『ピーター・パン』のキャラクターや物語

郵便はがき

101-8051

料金受取人払郵便

神田局承認

9518

050

差出有効期間
2021年2月
28日まで
(切手不要)

神田郵便局郵便
私書箱4号
集英社
愛読者カード係行

『集英社新書』

■この本をお読みになってのご意見・ご感想をお書きください。

※あなたのご意見・ご感想を本書の新聞・雑誌広告・集英社のホームページ等で

1.掲載してもよい　2.掲載しては困る

■集英社出版企画の資料にさせていただきますので、下記の設問にお答えください。それ以外の目的で利用することはありません。ご協力をお願い致します。

●お買い上げの本のタイトルをお書きください。

■この本を何でお知りになりましたか?(いくつでも○をおつけください)

1.新聞広告(新聞名　　　　　　　　　　) 2.雑誌広告(雑誌名　　　　　　　　　　)
3.新聞·雑誌の紹介記事で(新聞または雑誌名　　　　　　　　　　)
4.本に挟み込みのチラシで(書名　　　　　　　　　　)
5.集英社新書のホームページで　6.SNSで　7.友人から　8.書店で見て
9.テレビで(番組名　　　　　　　　　　) 10.ラジオで(番組名　　　　　　　　　　)
11.その他(　　　　　　　　　　)

■本書の購入を決めた動機は何でしたか?(いくつでも○をおつけください)

1.書名にひかれたから　2.執筆者が好きだから　3.オビにひかれて
4.本書のカバー、内容紹介を見て興味を持ったから　5.目次を見て興味を持ったから
6.前書き(後書き)を読んで面白かったから　7.その他(　　　　　　　　　　)

■最近お買い求めになった新書のタイトルを教えてください。

■あなたが今、関心のあるジャンル、テーマをお教えください。
(ジャンルの記号ならびにカッコ内のテーマに○をおつけください)

A.政治·経済(政治、経済、世界情勢、産業、法律) **B.社会**(社会、環境、地球、ジャーナリズム、風俗、情報、仕事、女性) **C.哲学·思想**(宗教、哲学、思想、言語、心理、文化論、ライフスタイル、人生論) **D.歴史·地理**(世界史、日本史、民俗学、考古学、地理) **E.教育·心理**(教育、育児、語学、心理) **F.文芸·芸術**(文学、芸術、映画、随筆、紀行、音楽) **G.科学**(科学、技術、ネイチャー、建築) **H.ホビー·スポーツ**(ホビー、衣、食、住、ペット、芸能、スポーツ、旅) **I.医療·健康**(医療、福祉、医学、薬学) **J.その他**(　　　　　　　　　　)

■定期購読新聞·雑誌は何ですか?

新聞(　　　　　　　　　　)　雑誌(　　　　　　　　　　)

■本書の読後感をお聞かせください。

1.面白い(YES·NO)　2.わかりやすい(YES·NO)　3.読みやすい(YES·NO)

お住まいの都道府県	都道府県	年齢　歳 □男　□女
ご職業　1.学生〔中学·高校生、大学生、大学院生、専門学校生、その他〕 2.会社員　3.公務員　4.団体職員　5.教師·教育関係者　6.自営業　7.医師·医療関係者　8.自由業　9.主婦　10.フリーター(アルバイト)　11.無職　12.その他(　　　　　　)		

構造を、『約ネバ』は逆説的に利用します。つまり、ネバーランドを守る永遠の子供であるピーター・パンに由来した名を持つピーター・ラートリーは、子供が大人になれない世界（ネバーランド）を守るため、子供達に死をもたらします。[*4]

その一方で、子供達の敵であり、「老い」や「死」を恐れる大人であるジェイムズ・フック船長にちなんだ名を持つジェイムズ・ラートリーが、部下のスミーと共に子供達を「大人になれる」生の世界へと導こうとします。

14巻119話より

『約ネバ』の中で、ピーター・パンが象徴する「永遠の子供」は「永遠に大人になれない定め」という死の象徴へ姿を変え、フック船長が象徴した「老い」は、むしろ「大人への成長」という生への希望を意味するようになります。いわば、『約ネバ』という鏡の中で、

『ピーター・パン』は生と死、善と悪、光と影が反転した物語として生まれ変わるのです。

タイトルの意味

こう見ると、『約束のネバーランド』というタイトルは、鬼と人間の間で交わされた「約束」によって作られた、子供が大人になれない死の世界としての「ネバーランド」を表す悲劇的なタイトルだといえるでしょう。

しかし、エマ達がこの「ネバーランド」を脱出し、新しい世界への扉《とびら》を開くことができた時、『約束のネバーランド』(The Promised Neverland)という絶望のタイトルは、理想の新天地を意味する「約束の地」(The Promised Land)という希望のタイトルへと逆転するのかもしれません。

それとも、エマ達が目指した「約束の地」である人間の世界すら、「どこにもない国」(Neverland)であったという、さらなる絶望を意味するのでしょうか。それは最終巻を読んでのお楽しみということにいたしましょう。ドキドキ。

2

ルイス・キャロル『不思議の国のアリス』『鏡の国のアリス』
～白ウサギ、レウウィス、チェス～

白ウサギを追いかけた女の子が穴に落っこちて、不思議な世界に迷い込む物語。そう聞けば、恐らく誰もがルイス・キャロルの『不思議の国のアリス』(*Alice's Adventures in Wonderland*, 1865) を思い浮かべるでしょう。イギリス児童文学の中でもとりわけ有名なこの物語は、多くの文学や映画やポップカルチャーに影響を与えてきましたが、それは『約ネバ』も例外ではないと考えられます。ここでは、『約ネバ』とルイス・キャロルの『不思議の国のアリス』と、その続編の『鏡の国のアリス』の関係について考察したいと思います。

『不思議の国のアリス』

まず『不思議の国のアリス』のあらすじを紹介したいと思います。ある日、幼い少女アリスが土手で姉と一緒に過ごしていましたが、絵のない姉の本に飽き飽きしてしまいます。するると、ふいにチョッキを着た不思議な白ウサギに出会います。白ウサギは懐中時計《かいちゅう》を取り出し、「遅刻だぁ！」と言いながらウサギ穴に入って行くので、アリスは白ウサギを追って穴に飛び込み、不思議な世界に迷い込みます。そこではニヤニヤ笑うチェシャ猫《ねこ》、終わらない茶会を開いている三月ウサギと帽子屋、煙草《たばこ》を吸う芋虫などが暮らしています。アリスは謎めいた住人達の奇妙な歌やなぞなぞ、理不尽な命令に翻弄《ほんろう》され、やがて横暴極まりないハートの女王によって首を切られそうになり、トランプの兵隊達に飛びかかられたところで夢から覚めます。全てはアリスが見た夢だったのです（文献6）。

この世界で最も有名な児童文学の一つといえるアリスの物語を書いたルイス・キャロル（Lewis Carroll, 1832–1898）は、本名をチャールズ・ラトウィッジ・ドッドソン（Charles Lutwidge Dodgson）といい、イギリスの作家である前に、オックスフォード大学の数学者であり、またアマチュア写真家でもありました。当時としては最先端の道具だった写真機を使って、キャロルは知り合いの子供達を撮影し、時には頼まれて子供の肖像《しょうぞう》写真を撮りました。

この写真好きが、『不思議の国のアリス』を書くきっかけを彼にもたらすことになります。キャロルが勤めるオックスフォード大学の学寮長《がくりょうちょう》リドル（リデルとも表記されます）の三人の幼い娘達と知り合いになったのも、写真撮影がきっかけであったといわれています。この三人の娘のうちの一人が、あの不思議の国のアリスのモデルになったアリス・リドルであり、彼女らと共にボートを漕《こ》ぎながらキャロルが即興で作った物語が『不思議の国のアリス』の原型となります。この物語は最初、ルイス・キャロル本人の手書きの挿絵《さしえ》が添えられた私家版としてアリス・リドルにプレゼントされますが、やがてジョン・テニエルによる魅力的な挿絵と共に出版されるやいなや、世界中で愛され、英米児童文学に黄金期をもたらす記念碑的作品となります。

ルイス・キャロル（ステファニー・ラヴェット・ストッフル『「不思議の国のアリス」の誕生』より）

『不思議の国のアリス』は奇想天外な登場人物（動物？）が繰り広げるナンセン

スな言葉遊びに満ちており、読者を翻弄しますが、この「ナンセンス」さこそ、『不思議の国のアリス』が英米児童文学の黄金期の幕開けを告げる作品と呼ばれるゆえんです。

そもそも「児童文学」というものが誕生したのはそれほど大昔のことではありません。フィリップ・アリエスが『〈子供〉の誕生』(*L'Enfant et la Vie familiale sous l'Ancien Regime*, 1960)で明らかにしたように、今日では当たり前の「大人」と「子供」という区分は、イギリスを含むヨーロッパでは一七世紀頃まで自明なものではなく、そもそも「子供」という存在さえそれほど明確なものとして社会的に認識されてはいませんでした。当時の子供は単に知能や体力が劣る「不完全な小さな大人」と見なされ、子供向けの本や子供服などはなく、大人と同じ衣服を身に着け、労働者階級であれば幼い頃から大人と同じように労働に従事し、飲酒や喫煙、性行為なども自由でした(文献7)。

しかし、一七世紀にイギリスの哲学者ジョン・ロックが人間は生まれた時には何も知らず、経験によって物事を理解する「白紙」(タブラ・ラサ)であると唱え(文献8)、一八世紀にフランスの哲学者ジャン・ジャック・ルソーが「子供は大人ではなく、子供である」という、当時としては斬新《ざんしん》な思想のもと、子供の発達に合わせた教育を提唱する教育論

『エミール』（*Émile, ou De l'éducation*, 1762）を出版するなど（文献9）、しだいに子供に対する認識は変化し、子供と大人を同列に扱うのではなく、「子供」という独自の存在と見なす価値観が広まっていきます（文献10・四〜七頁）。

とはいえ、一八世紀までの児童書は、不完全な子供を完全な大人へと導こうとする思想が根強く、教訓や宗教に関するものが大半を占めていました（文献11・三頁）。しかし一九世紀に入ると、産業革命を通じて発展した機械産業によって破壊された自然や人間らしさを取《と》り戻《もど》すため、絵画や音楽、文学の中で子供の無垢な感性を賛美し、自然の美しさを表現するロマン派（Romantic）による芸術活動が盛んになります。

そんな時代の中、一九世紀半ばに登場したルイス・キャロルの『不思議の国のアリス』は、これまでの教訓一辺倒な本とは異なり、子供を楽しませる不可思議な出来事や、音の面白さを重視した意味のない言葉遊びに満ちています。そのため、『不思議の国のアリス』が出版された一八六五年は、一九三〇年代まで続く英米児童文学の黄金時代の始まりといわれているのです（文献3・二二頁）。

白ウサギを追って

さて、『約ネバ』は『不思議の国のアリス』の物語とどのようにつながっているのでしょう。『不思議の国のアリス』はアリスが白ウサギを追いかけるところから始まりますが、『約ネバ』においても白ウサギは物語の始まりを告げるモチーフとして登場します。

一話において、GFハウスに暮らすエマ達は自分達を孤児院に暮らす孤児だと考えています。その考えが覆され、物語が動き出すきっかけとなったのは、少女コニーが大事にしていた人形、リトルバーニーです。

リトルバーニーは白いウサギの姿をしており、チョッキを身に着け、蝶《ちょう》ネクタイの部分は時計の形をしています。これは『不思議の国のアリス』の冒頭に登場するチョッキと懐中時計を身に着けた白ウサギを彷彿《ほうふつ》とさせます。

アリスが白ウサギの後を追って穴に落ち、不思議の世界に迷い込んだように、エマ達はコニーがリトルバーニーを忘れて行ったのだと思い、それを届けてあげようとしたことによって、鬼によって支配された恐るべき現実の世界を目《ま》の当たりにします。主人公達と読者を物語の世界に案内する白ウサギという『不思議の国のアリス』の特徴的なモチーフが、『約ネバ』にも活《い》かされているのです。

　白ウサギの後を追ったことで、アリスはその後、不思議の国に暮らす奇妙な住人達に翻弄されることになりますが、興味深いことに、この不思議の国の住人達とエマ達食用児が遭遇する鬼達の立場は似通っていると考えられます。結論からいうと、アリスが不思議の国で出会う奇妙な住人達は「大人」の象徴であり、エマ達食用児が立ち向かう敵であるイザベラやピーター・ラートリー、そして鬼達もまた「大人」なのです。

　映画などで描かれる『不思議の国のアリス』では、不思議の国はしばしば現実世界のしがらみから解放された、子供の自由な想像力の象徴として表現されることがあり

1巻1話より　コニーとリトルバーニー

ます。しかし、原作の『不思議の国のアリス』では、不思議の国の住人達は「現実社会のつまらないルールに縛られた大人」を象徴していると考えられます。

アリスが最初に遭遇する白ウサギ（左頁図）を見てみましょう。先ほど紹介したように、白ウサギはチョッキを着て、懐中時計を持って、遅刻してしまうと慌てています。ジョン・テニエルの挿絵で有名なこの白ウサギの姿は、立派な英国紳士《しんし》の姿を戯画化したものであるといわれています。

作者ルイス・キャロルも白ウサギについて次のように述べています。「そして白ウサギはどうでしょう？　彼はアリスと似た者として形作られているのでしょうか、それとも対比として意図されているのでしょうか。はっきりと対比です。アリスの『若さ』『大胆さ』『元気』『決断の速さ』に対して、『年配』『臆病《おくびょう》』『弱々しさ』『びくびくした逡巡《しゅんじゅん》』を読みこめば、私が白ウサギに意図したことがだいたいおわかりになるでしょう」（文献6・一七九～一八〇頁）。一九世紀に流行した動きやすい子供用の服を身に着け、子供らしい好奇心と自由な心を持つアリスに対し、窮屈《きゅうくつ》な衣服に身を包み、時間を気にしてあくせくする白ウサギは、時間に追われる大人を皮肉ったものであるというわけです。

また、答えのないなぞなぞを延々と繰り広げる三月ウサギと帽子屋や、もったいぶった言葉のやり取りをするカエルや魚の顔の召使い達などは、イギリスの名門オックスフォード大学で数学を学び、優秀な学者として生涯を同大学で過ごしたルイス・キャロル自身が目の当たりにした、空虚な議論に明け暮れる同僚《どうりょう》の大学教師達を揶揄《やゆ》したものであるといわれています（文献12・三三二頁、七五頁）。

そんな「大人」達はアリスに対し、非常に横暴な態度を取ります。白ウサギはアリスをメイドと間違え、自分の忘れ物を取ってくるよう言い付け、芋虫は尊大な態度でアリスを叱《しか》り付け、ハートの女王は問答無用で「首をはねよ！」と怒鳴ります。不思議の国の住人達は子供に対し横暴で理不尽な態度を取る大人の戯画であり、アリスにとってはとうてい仲間とは呼べない存在です。むしろ体が大きくなった

白ウサギ（ルイス・キャロル『不思議の国のアリス』より）

り、小さくなったりして自分の本当の大きさが分からなくなるほどアリスの存在を揺るがす、恐ろしい脅威でもあります。

『約ネバ』においても、GFハウスではママ・イザベラ、シスター・クローネという「大人」がエマ達の前に立ちはだかり、ハウスの外へ出てもゴールディ・ポンドの猟場《かりにわ》でレウウィスやバイヨンといった「大人」の鬼達が子供達の命を狙ってきます。アリスにとって白ウサギや帽子屋がそうであったように、食用児達にとっても「大人」とは受け入れがたい理不尽な現実を押し付けて来る存在であるといえます。

帽子屋とレウウィス、あるいはLewis

『約ネバ』八巻から一一巻に描かれる「猟場」にも、『不思議の国のアリス』を思わせるモチーフやキャラクターが登場します。森を探索《たんさく》していたエマが突然連れ去られ、何も分からぬうちに放り込まれる猟場は、風船やピエロといった遊園地を思わせる装飾に彩《いろど》られ、おとぎ話の世界のような雰囲気《ふんいき》をかもし出します。そして、「音楽が鳴ったら鬼がやって来て子供を襲う」という勝手なルールによって子供を弄《もてあそ》ぶように狩る鬼達は、大人の理不尽な決まり事によってアリスを翻弄する不思議の国の住人達を思わせます。
　また、猟場には外見的にも『不思議の国のアリス』のキャラクターを連想させる鬼も登場します。鍔《つば》の広い黒い帽子と黒いコートが印象的なレウウィス大公は、猟場における最強の敵としてエマと対峙《たいじ》します。食用児のヴァイオレットが「あいつはヤバいんだ…あの帽子の奴《やつ》は……」（八巻六七話）と言い、レウウィスがエマの攻撃によって帽子を落とした際に、ペットの猿パルウゥスがわざわざ帽子を拾って彼に届けていることからも、大きな帽子はレウウィスのトレードマークといえるでしょう（一一巻八九話）。
　そして、『不思議の国のアリス』に登場する帽子をかぶったキャラクターといえば、「帽子屋」（Hatter）です。帽子屋は三月ウサギとヤマネと一緒にお茶会を開いているのですが、「帽子屋のように頭がおかしい」（as mad as a hatter）という英語の慣用句をそのまま擬人《ぎじん》化した存在であり、支離滅裂な言動や答えのないなぞなぞをアリスに投げかけ、彼女を困惑させます。[*5]
　レウウィスもまた、エマ達にとっては理解しがたい、「血湧《わ》き肉躍る」命がけの戦いのみを楽しみとして追い求め、食用児のザックからは「イカレ野郎」と呼ばれています（九

8巻66話より　レウウィス大公

9巻75話より

巻七五話)。まさに『約ネバ』における「帽子屋のように頭がおかしい」存在だといえるでしょう。

また、帽子屋の仲間として一緒にお茶会を開いている三月ウサギを思わせる鬼として、猟場の主であり、レウウィスの長年の友(?)であるバイヨン卿を挙げることができます。バイヨン卿の仮面の特徴である二本の角は、遠くから見ればウサギの長い耳のように見えるかもしれない、というのはちょっとこじつけめいているでしょうか?

しかし、一六巻一四〇話に登場したバイヨン卿(当代)の妻にロップイヤー(垂れ耳)のウサギを思わせる長い耳が生えていることを考えると、やはりバイヨンとウサギは浅からぬ結びつきがあるのかもしれません。

余談ですが、帽子屋と三月ウサギのお茶会にはティーポットの中に入れられてもずっと眠っているヤマネも参加しているのですが、レウウィスが帽子屋でバイヨンが三月ウサギなら、ヤマネはレウウィスのペットである小猿のパルウゥスがぴったりかもしれません。

さて、レウウィスは帽子だけでなく、その名前自体が『不思議の国のアリス』と強い関連性を持っています。「レウウィス」という名前を(やや無理矢理)アルファベットに置

8巻67話より　バイヨン卿（先代）

16巻140話より　バイヨン卿（当代）の家族達

き換えてみると、Lewisという名が浮かび上がってきますが、これを英語名として普通に読むなら、「ルイス」となります。そう、ほかでもない、『不思議の国のアリス』の作者ルイス・キャロル(Lewis Carroll)の名前が、猟場最大の敵レウウィスの名に隠れていると考えられるのです。[*6]

レウウィスとルイス・キャロルの共通点は名前だけではありません。エマ/アリスとレウウィス/ルイス・キャロルの関係もまた、類似性を持っているのです。先ほど述べたようにルイス・キャロルはアマチュアの写真家でしたが、アリスを

11巻91話より

始めとした子供の写真を好んで撮影したため、ルイス・キャロルが幼い少女に対して邪《よこしま》な意図を持って撮影しているのではないかという推測が広がり、スキャンダルに発展したこともありました（文献12・五〇頁）。

実際に邪な意図があったかどうかはさておき、幼い少女アリスに対し熱烈な関心と親愛を持ってカメラを向けたルイス・キャロルの姿勢は、鬼と戦う勇気を持った稀有《けう》な少女エマに対してレウウィスが異常なほどの執着を見せ、エマの名を呼びながら執拗《しつよう》に追いかけて来る様子とどこか重なるようにも見えます（一一巻九一話）。

反逆するアリス／エマ

『不思議の国のアリス』と『約ネバ』はどちらも大人と子供の対比が重要な意味を持っています。そして大人に翻弄されるばかりに見える子供が反旗を翻す物語でもあります。

『不思議の国のアリス』の結末では、アリスは横暴なハートの女王によって理不尽にも首をはねられそうになりますが、小さくなってしまっていたアリスはその時までには元通りの体の大きさに戻っており、「あなたたちみんな、ただのトランプじゃないの！」と言って、真っ向から反抗します。ハートの女王の権威を「ただのトランプ」だと言い放つことで払いのけ、自分自身の「大きさ」を取り戻したアリスは無事に夢から覚め、現実世界に戻ることになります。

アリスは大人達が盲目《もうもく》的に従う規則や権威に翻弄されるのではなく、自分の意志と価値観を貫くことで、自分の「大きさ」、すなわち自分の「存在」を確固たるものにしたのです。夢の中の冒険を通じて、アリスは大人になったのではなく、大人の権威や理不尽に流されることなく、子供の心のまま成長したのだといえます。

『約ネバ』のエマ達もまた、大人の理不尽に立ち向かう子供です。エマは鬼によって次々と殺される子供達を救うため、反乱を計画している子供達と共に猟場の鬼と戦うことを決意します。この戦いの中でエマは主導的な役割を担い、無敵とも思えた「大人」、すなわち鬼達を倒していきます。

特に、命を懸けた戦いに楽しみや生きる意味を見出《みいだ》すレウウィスに対し、「殺す以外にないのかな?」（二〇巻八七話）と問いかけ、「戦わずに終わりにできたら、私はこの先仲間を死なせずに済むし、あなたも死なずに済む」（二〇巻八七話）と言うエマは、理不尽で不可解な「大人」のルールや固定観念をひっくり返す、アリス的な存在であるといえるでしょう。

このように、猟場は様々な点で『不思議の国のアリス』と類似性を持ち、「大人」の理不尽に支配された不思議の国での「子供」の反逆を見事に描き出しているといえます。

『鏡の国のアリス』

『不思議の国のアリス』の続編として出版された『鏡の国のアリス』（*Through the Looking-Glass, and What Alice Found There*, 1871）は、アリスが子猫と一緒に遊んでいるうちに鏡の中に入り込み、チェス盤のような世界の中で自ら白の歩兵（ポーン）となって冒険を繰り広げ、最後には赤の女王を取って勝利し、再び元の世界に戻って来るという物語です。アリスが冒険の途中で出会う双子のトゥイードルダムとトゥイードルディーや、塀《へい》の上に座っている卵の男ハンプティ・ダンプティなど、イギリスの伝統的童謡であるマザーグースをモチーフにした登場人物は、アリスの世界を象徴するキャラクターとして世界中で愛されています（文献14）。

15巻130話より

この物語ではアリスは鏡を通り抜けて幻想の世界へと入って行きます。古来、鏡は魔力を宿したものとして扱われることが多く、ヨーロッパでは鏡は映った人の魂をその中に留めたり、悪魔や吸血鬼などの姿を映さず、真実を暴く力があるとも見なされてきました（文献15・九六〜九七頁）。日本でも三種の神器の一つは鏡であり、鏡は古今東西、現実と幻想の世界をつなぐ境界として広く親しまれてきたシンボルであるといえます。そして『約ネバ』においても、鏡は二つの世界をつなぐ役割を担っています。

一五巻一三一話でエマとレイが新たな「約束」を結ぶため、超常的な力を持つ鬼が存在

16巻140話より

する世界に行く際、「金の水」に月を映し、そこに自らの血を注ぎ、ヴィダの花を供えるという方法を取ります。いわば、「水鏡」を通じて日常の世界から超常の世界へと入り込んだといえます。一六巻一四〇話でついにエマが異次元の世界にたどり着く場面では、海のような水が一面に広がり、天は昼の空である一方、水には夜空が映るという奇妙な水鏡となり、そこが通常の次元を超越した場所であることを示します。アリスの物語において、鏡が現実と幻想の世界

15巻132話より

を隔てる壁であり、また入り口となったように、『約ネバ』においても水鏡は異なる次元を隔て、そしてつなぐ存在だといえるでしょう。

『鏡の国のアリス』では、鏡をくぐり抜けたアリスはチェスの世界に入り込みますが、『約ネバ』においてもチェスは重要なモチーフとして繰り返し登場します。

　一五巻で王都の鬼達を倒す策略を巡らせるノーマンは、鬼と食用児をチェスの駒《こま》に置き換えて仲間達に計画を説明します。その後、一七巻で繰り広げられる女王レグラヴァリマとノーマンの攻防戦は、まさに一手ずつ相手の裏をかきながら指し合うチェスの試合そのものです。

特にレグラヴァリマの特徴的な円柱状の髪型は、チェスの女王（クイーン）、もしくは王（キング）の駒の形を想起させます。

いずこの輩《やから》も
謀叛《むほん》は赦《ゆる》さぬ
見《み》つけて
捕《とら》えて
討《う》ち尽《つ》くす
15巻132話より　女王レグラヴァリマ

また、鬼の世界における最強の王として君臨する者が男性ではなく女性であったことは、これまで登場した鬼の多くが男性であったことから考えると、驚きをもたらすものでした。しかし、『鏡の国のアリス』において、アリスが最後にその手で捕らえるのが赤の女王であり、チェスにお

チェスのキング（左）とクイーン（右）（撮影：野崎慧嗣）

いてクイーンが縦横斜めに縦横無尽に移動することのできる最強の駒であることを考えると、ノーマン達が立ち向かう最強の敵が、男性の王ではなく女王であることは必然なのかもしれません。

このように、『約ネバ』には物語の始まりから、最終局面に至るまで、『不思議の国のアリス』と『鏡の国のアリス』のモチーフが様々な形で登場し、大人の理不尽なルールに対する子供達の反逆の物語を彩っているのです。

3 一九世紀のロマン派作家達
〜バイヨン卿とバイロン卿〜

バイロン卿

先ほど、猟場の主である貴族鬼バイヨン卿と、『不思議の国のアリス』の三月ウサギの類似点を指摘しました。しかし、バイヨン卿にはもう一人、モデルになったと思われる人物がいるのです。ここではバイヨン卿を中心に、一九世紀ロマン派の作家達との関係について紹介したいと思います。

バイヨン卿は猟場と呼ばれる秘密の場所に生きた食用児達を放ち、疑似的な人間狩りを密かに楽しんでいる鬼の貴族です。その名前の由来となったと思われるのが、一九世紀イギリスを代表するロマン派詩人、ジョージ・ゴードン・バイロン卿（Lord George Gordon Byron, 1788-1824）です。バイヨン卿とバイロン卿。うっかりすると間違えてしまうほどよ

9巻73話より　バイヨン卿（先代）

ジョージ・ゴードン・バイロン卿
(Getty Images)

く似た名前を持つこの二人の貴族は、外見においても似通った点を持っています。

貴族鬼のバイヨン卿はゆったりしたアラブ風のズボンや高く結った長い黒髪など、どこかエキゾチックな姿であり、上品な口調や優雅な物腰から、（鬼なので何ともいえないところですが）恐らくハンサムな鬼であると思われます。

詩人のバイロン卿もまた、エキゾチックさと伊達《だて》男《おとこ》ぶりによって名を馳《は》せた詩人です。バイロン卿は貴族の家系に生まれ、父親の死によって一時は母親と貧乏暮らしを余儀なくされますが、大伯父《おおおじ》の死により、にわかに男《だん》爵《しゃく》の地位を継ぐことになります。ケンブリッジ大学を卒業後、友人と共にスペイン、ポルトガル、ギリシャなどを旅して回り、この経験をもとにして書いた詩集『チャイルド・ハロルドの巡礼』（*Childe Harold's Pilgrimage*, 1812）が三日で初版が売り切れるほどの人気を博します。その美貌《びぼう》も相まって、一躍ロンドン社交界の寵児《ちょうじ》となり、数々の女性（時には男性）と浮名を流すことになります（文献16・一六〇頁）。

バイロン卿の最も有名な肖像画は、頭にターバンを巻き、アルバニアの民族衣装を身にまとったエキゾチックな姿を描いたものです（前頁図）。肖像画からも分かる伊達男ぶりと、エキゾチックな雰囲気は、『約ネバ』のバイヨン卿とどこか通じるものがあります。しかし、バイヨン卿とバイロン卿の共通点は外見だけではありません。最大の類似点は、次に紹介するように、趣味を同じくする仲間達と別荘《べっそう》に滞在し、遊びを行ったという点にあるでしょう。

貴族の仲間達

鬼のバイヨン卿はレウウィス大公、ノウス、ノウマ、ルーチェといった貴族鬼達を招き、猟場で「約束」によって禁じられたはずの人間狩りを行います。そして詩人のバイロン卿もまた、自らの別荘に文学仲間を呼び、文学史上非常に有名なある作品が生まれる舞台を用意したことで知られています。

メアリー・シェリー（大修館書店『図説イギリス文学史』より）

一八一六年、スイスのレマン湖畔《こはん》にバイロン卿が借りた別荘に、バイロンと並び称されるロマン派詩人、パーシー・ビッシュ・シェリー（Percy Bysshe Shelley, 1792–1822）と、彼の恋人であり、後に妻となるメアリー・ゴドウィン（後のメアリー・シェリー Mary Shelley, 1797–1851）、バイロン卿の愛人クレア・クレモント、そしてバイロン卿の主治医であり、もう一人の愛人ともいわれるジョン・ポリドーリが招かれます。自堕落《じだらく》で退廃《たいはい》的なロマン派詩人達のこの別荘での日々は、しばしば映画の題材にもなっています。[*7]

雨によって別荘に閉じこもるはめになった彼らは、怪談物語を朗読し合い、やがてバイロン卿が皆でそれぞれ怪談話を書こうと提案します。しかし、バイロン卿とパーシー・シェリーの怪談は結局完成することはなく、メアリーだけがこの時に構想した物語をもとに、この世で最も有名な怪物の物語である、『フランケンシュタイン』(*Frankenstein: or The Modern*

Prometheus, 1818）を生み出すことになります[*8]（文献17・iii–vii頁）。

バイロン卿が別荘で詩人の仲間達と共に恐怖の物語を生み出そうとしたように、バイヨン卿もまた鬼の貴族達と共に、猟場という秘密の別荘で恐怖の宴《うたげ》を繰り広げるのです。

さらに、バイロン卿の別荘に滞在した当時、妻帯者であったパーシー・シェリーとメアリーという禁断の恋人達の姿は、『約ネバ』において、兄妹でありながら、どこか兄妹愛を超えた愛で結ばれているようにも見えるノウスとノウマの二人を彷彿とさせます。反乱を起こした食用児によってノウマが殺された時、彼女の遺体を抱いて泣き叫び、ノウマの脳を食べることで彼女と一体化し、「俺《おれ》の愛《いと》しいノウマを返せ‼」と憤《いきどお》るノウスの姿は、鬼にも「愛」があることを読者に知らしめる戦慄《せんりつ》の場面でした（一〇巻八〇話）。

なお、メアリーが書いた『フランケンシュタイン』において、死体に電気を流して命を与え、人造人間を作り出すフランケンシュタイン博士が、血はつながっていないものの、妹同然に共に育ったエリザベスを「妹以上」（文献17・二六頁）の存在として愛していることも、どこかノウスとノウマを連想させます。

別荘での怪奇談義から六年後、パーシー・シェリーは乗っていた船が暴風雨によって難

10巻80話より　妹ノウマを抱きしめて叫ぶノウス

破し、一八二三年に二九歳で帰らぬ人となり、バイロン卿はギリシャ独立戦争（一八二一〜一八二九）に参加し、病を得て一八二四年に三六歳で死亡します。若くして次々に死んでいった詩人達の姿もまた、猟場で命を落としたバイヨン卿、ノウス、ノウマ達貴族鬼と重なり合うのです。

奇《く》しくも、バイロン卿とシェリーらロマン派詩人が活躍した一九世紀前半は、フランス革命の影響を受けて、イギリスを含むヨーロッパ各地で労働者による暴動やストライキが勃発《ぼっぱつ》した時代でもありました（文献16・一五〇頁）。王政による貴族優位の階級社会に対し、民衆が反乱を起こし、革命を企てる時代の様相は、『約ネバ』において、搾取される立場であった食用児が反乱を起こし、鬼の貴族社会を破壊しようとするさまを思わせます。

ロマン派（Romantic）の詩人バイロン卿と鬼のバイヨン卿は、共に貴族社会の黄昏《たそがれ》の時代を生き、退廃的な仲間と共に叶《かな》わぬ夢を追い求めた「ロマンティック」な男達なのかもしれません。

4

J・R・R・トールキン『指輪物語』
〜エルフと鬼〜

『約ネバ』の一巻から五巻までの〈脱獄編〉は心理戦を駆使したサスペンスであり、八巻から一一巻の〈猟場編〉は知略に富んだアクションが中心となりますが、一二巻から最終巻までは、「約束」の歴史や鬼達の因縁の物語を中心とした歴史ファンタジーの様相を呈《てい》します。この〈最終章〉におけるファンタジー的な側面と深く結びついていると考えられるのが、イギリスにおける最大のファンタジー小説ともいえるJ・R・R・トールキンの『指輪物語』シリーズです。

J・R・R・トールキン（John Ronald Reuel Tolkien, 1892–1973）は幼い頃に両親を亡くし、カトリック司教に引き取られて育ちます。オックスフォード大学で古典文学や比較言語学などを学ぶ中、後に『指輪物語』のエルフの言葉となる独自の言語体系を作り出していき

J・R・R・トールキン（写真：TopFoto/アフロ）

ます。しかし、在学中に第一次世界大戦が勃発し、トールキンは通信兵として従軍することになります。多くの友人達を戦地で失い、自身も病を得たこの未曾有《みぞう》の大戦は、彼が後に執筆するファンタジー小説にも少なからぬ影響を与えることになります。

戦争が終わると、母校であるオックスフォード大学で英語や英文学を教えながら、独自に開発したエルフ語と架空の世界「中つ国」を題材に、ドラゴンから財宝を取り戻す小人族達の物語『ホビット―ゆきてかえりし物語』（*The Hobbit, or There and Back Again*, 1937）と、魔法の指輪を巡る壮大《そうだい》な戦いを描く『指輪物語』（*The Lord of the Rings*, 1954-1955）三部作を生み出します。二〇〇〇年代になり上映されたピーター・ジャクソン監督《かんとく》の映画『ロード・オブ・ザ・リング』（*The Lord of the Rings*, 2001-2003）、および『ホビット』（*The Hob-*

bit, 2012-2014）では、広大な中つ国の世界が実写とCGで再現され、トールキンの人気に再び火をつけました。また、トールキンの死後、息子クリストファー・トールキンが父の遺稿をまとめて編集した後、出版した『シルマリルの物語』（*The Silmarillion*, 1977）では、天地創造から中つ国の歴史までを含んだ神話がつまびらかになり、トールキンが作り出した物語の奥深さを伝えています。

トールキンの功績は、何といっても「中つ国」という架空の世界を舞台として、言語、神話、歴史、人種、地理に至る、緻密《ちみつ》かつ膨大な世界観を創作したことにあるといえるでしょう。地面の穴の中に住む素朴《そぼく》な小人族ホビットを始め、凶悪な敵であるオークや、長命で知性に富むエルフなどもトールキンが創作した種族であり、現在でも多くのファンタジー小説やゲームなどにその影響を見ることができます。[*9]

エルフ、オーク、鬼、そしてノーマン

トールキンが生み出した架空の種族の中でも、最も広く知られ、多くの作家達の作品に取り入れられたのは「エルフ」ではないでしょうか。尖《とが》った耳と長く美しい髪を持ち、す

らりとした背の高い姿で森に暮らす、知恵にあふれ、音楽や詩を愛し、弓の技に優れた長命な種族。このようなエルフのイメージを作ったのは、他でもないトールキンです。

もともと「エルフ」（Elf）とはゲルマン神話などに登場するフェアリー（Fairy）やピクシー（Pixie）と同一視され、蝶の羽などに似た小さな羽を持ち、人間に悪戯をする小さな妖精を指しました。シェイクスピアの『真夏の夜の夢』に登場する悪戯な妖精パックや、J・M・バリーの『ピーター・パン』でピーター・パンの親友として登場する気まぐれな妖精ティンカー・ベルなどがその代表例です。

しかし、トールキンはこの伝統的なエルフのイメージを自身の作品の中で大きく変化させ、中つ国における最も重要な種族の一つへと高めました。トールキンの中つ

エルフ（J・R・R・トールキン『指輪物語　旅の仲間』より）

国の神話『シルマリルの物語』によれば、世界に最初に生み出された知恵ある生き物はエルフであり、人間が誕生する以前の世界に言葉や宝石、壮麗な建物などをもたらします。しかし、最も美しい種族であるはずのエルフは、しだいに堕落と衰退へと向かっていきます。『ホビット』や『指輪物語』に登場するエルフ達は、黄昏の時代を生きる最後のエルフ達だといえるでしょう。

さて、意外に思えるかもしれませんが、トールキンが作り出した美しく賢明な種族であるエルフと、『約ネバ』における恐ろしい人食いの怪物である鬼との間には、実は多くの共通点があります。どちらも何千年もの長い歳月を生きる長寿の種族であり、独自の文字や言語を持ち、戦いに優れています。

しかし、エルフと鬼の最大の共通項は、その「堕落」にあるといえるでしょう。エルフの堕落を語る上で避けて通れないのは、「オーク」(Orc) と呼ばれる中つ国の忌むべき鬼の存在です。オークは背が低く、曲がった脚に黒い皮膚、鋭い牙《きば》を持った醜《みにく》い人食いの種族であり、残忍な兵士ですが太陽の光を恐れます。一方、鋭い牙や恐ろしい外見、人食いという性質、そして九巻七九話でのノウス・ノウマに対する閃光《せんこう》のトラップが効果を発揮したことや、一一巻八九話の決戦において、レウウィスが閃光による目つぶしを弱点としていたことから推測できるように、眩《まぶ》しい光に弱い点など、『約ネバ』の鬼はそもそもオークと類似点を持っているともいえます。

この中つ国の鬼であるオークには恐ろしい秘密があります。それは、彼らがもともとエルフだったということです。太古の昔、邪悪な精霊メルコールに捕らえられたエルフ達が惨《むご》い拷問《ごうもん》を受け、苦痛と憎しみによってオークへと変貌したのです（文献18・二五五頁、文献19・一〇一頁）。

トールキンは若い頃に通信兵として参加した第一次世界大戦において、多くの兵士達が機関銃《きかんじゅう》や毒ガスによって無残な死を迎え、おびただしい死体が散らばり、腐敗する地獄絵図を目の当たりにしました（文献20・一〇六頁）。また、たとえ命が助かっても、激しい塹壕戦《ざんごうせん》による極度のストレスにさらされた兵士達の多くが、精神に癒《い》えることのない傷を負い、今でいうところのPTSD（いわゆるトラウマ）、当時は「シェル・ショック」と呼ばれた精神疾患に冒され、鬱《うつ》や不眠、攻撃衝動や言語障害といった症状《しょうじょう》に苦しみました。トールキン自身、戦争中何度も原因不明の病に倒れ、入退院を繰り返しますが、これも戦闘による過度のストレスの結果であると推測できます（文献20・一〇七頁、一一八頁）。
美しく知性あふれるエルフが、苦痛によって醜く残忍なオークへ変貌するという恐ろしい出来事は、トールキン自身が目にした現実の地獄の風景にもとづいていると考えられるのです。

『約ネバ』においても、美しかった存在が醜く歪《ゆが》んでゆく物語が語られます。一五巻から一七巻で語られる零落《れいらく》した鬼の貴族、ギーランの物語です。初めて登場した際、ギーランは虫のような恐ろしい顔をした巨大な異形の鬼の姿で現れます（一五巻一二五話）。しかし、やがてギーランの追放は王家による策略であり、彼とその一族は無実の罪で捕らえられたことが明らかになります。

鬼は食べた物の性質を自分の中に取り込むという特徴を持っており、人間を食べ続けなければ人型の姿や知性を保つことができませんが、この特性を利用した「野良落ち」と呼ばれる刑罰により、ギーランとその一族は牢獄《ろうごく》に捕らえられ、異形の姿へ無理矢理変貌させられたのです（一七巻一四七話）。

バイヨン卿（当代）が「あの方は美しく清廉《せいれん》で、民のことを真に考えていた」（一六巻一

15巻125話より　現在のギーラン卿

四〇話）と称賛するように、もともとギーランは人間に似た美しい姿と高い道徳心を備えた鬼でした。しかし、王家や他の貴族達に裏切られ、野良落ちの刑によって七〇〇年もの間苦難に満ちた日々を送った結果、復讐《ふくしゅう》の念に囚《とら》われ、彼を陥《おとしい》れた貴族達ばかりでなく、罪もない貴族の子供達まで殺害してしまいます（一七巻一四七話）。

仲間だと思っていた鬼達に裏切られ、野良落ちに伴う苦痛と恨みによって姿かたちだけでなく、心までも歪んでしまったギーランの末路は、まさに拷問の苦悶《くもん》の中で心身共に醜く変わり果ててしまうエルフと相通ずるものがあるといえるでしょう。

エルフの美しさがオークの醜さを際立たせ、美しかった者が憎しみと苦痛によって歪められてしまうことの残酷《ざんこく》さを表すように、元の姿に戻ったギーランの美しさもまた、彼の心がどれほど復讐のために濁ってしまったかを痛切に物語るのです。

美しい存在が怒りと苦痛によって歪んでいく図式は、ノーマンにも当てはめることができます。エマはＧＦハウスで共に過ごした幼いノーマンのことを「優しくて、頭が良くて、いつもフワッとニコニコほほえんでいて…」（一四巻一二四話）と表現しますが、実験農園Λでの凄惨《せいさん》な人体実験を目の当たりにし、鬼への怒りを募らせたノーマンは、エマ達が抱

17巻147話より　かつてのギーラン卿

いていたノーマンのイメージを覆す、冷酷な「帝王」として鬼の絶滅を計画し、実行に移します。

自分達を陥れた王族や貴族への恨みを募らせ、心身共に異形へ堕《お》ちたギーランと、人間の子供達を搾取し、苦しめた鬼への怒りを燃やし、絶滅という過激な反撃に出るノーマンは、ちょうど鏡に映った似姿のようです。どんなに美しい姿も優しい心も、苦痛と怒りと憎しみによって恐るべき存在へと変貌しうること、それはエルフも鬼も人間も同じなのかもしれません。

欲望という病

トールキンの物語において、繰り返し描かれるテーマの一つに「強欲」があります。「堕落というのは避けがたいモチーフであり、形を変えて幾度か出てきます」（文献19・一九頁）とトールキン自身が語っているように、中つ国の物語は、その多くが強欲に取りつかれた者達の堕落に関するものであるといえます。そして、この強欲がもたらす破滅というモチーフは、『約ネバ』の物語終盤の一つのクライマックスを描き出す、重要な要素となります。

トールキンの『ホビット』では黄金の魔力に取りつかれたドワーフの王が、莫大《ばくだい》な宝物の山を築き上げた結果、同じく黄金に魅入《みい》られたドラゴンのスマウグによって国を奪われてしまいます。そして、王国を再び取り戻すため奮闘したドワーフの王子トーリンもまた、ドラゴンを倒した後、黄金を独占したいという欲望に負け、結果として命を落としてしまいます。『指輪物語』でも世界を支配できる魔法の指輪の誘惑に、多くの人間やホビットが蝕《むしば》まれていきます。

『約ネバ』における最も強欲な存在は、やはり鬼の女王レグラヴァリマでしょう。豪勢な衣服や特徴的な髪型、数々の装飾品で着飾った彼女は、最も強く、最も美しい存在でありたい、という強烈な執着に囚われ、自らの父親であった王を殺して食べることで、その地位と力を奪い取ります。強欲はレグラヴァリマに力と美しさをもたらす原動力であるといえますが、皮肉なことに、彼女を破滅させるのもまた、彼女自身の強欲であることが描かれます。

ノーマン達がレグラヴァリマを倒そうとした際、深手を負った女王は周囲に散らばる鬼達の死体を吸収し、無数の死体が寄り集まった巨大な塊のようなものへと膨れ上がります。その塊の中から復活した女王は、まさに無敵ともいえる強さを発揮し、何度傷を負わせても再生してしまいます。もはや誰にも倒すことのできない最強の存在になったかに見えた女王ですが、最後には過剰《かじょう》に摂取した鬼や人間達の思念によって内部から蝕まれ、自滅してしまいます（一八巻一五七～一五八話）。

果てることのない欲望に膨れ上がり、やがて自分自身に滅ぼされてしまう女王のありさまは、中つ国の神話を描いた『シルマリルの物語』に登場する雌の大蜘蛛《おおぐも》ウンゴリアントを思わせます。ウンゴリアントは「己自身の欲望の赴くがまま、ありとあるものを取り込んで己が空虚を養いたいと欲し」（文献19・一四〇頁）、世界を照らす二本の光の木を喰《く》い尽くし、さらに星々を司《つかさど》る精霊ヴァルダの泉の水を飲み干し、「見るもおぞましい巨大な姿にふくれ上がり」（文献19・一四四頁）ます。しかし、何を食べても癒《いや》されることのない

18巻155話より　周囲の死体を取り込む女王レグラヴァリマ

18巻155話より　粘液を周囲に飛ばすレグラヴァリマ

飢《う》えに苛《さいな》まれたウンゴリアントは、最後には「飢えかつえた極みに、ついに自分自身を喰らい尽くしてしまった」（文献19・一五一頁）と語られます。

無数の人間や鬼を喰い尽くしたレグラヴァリマが巨大な異形の化け物に変貌し、粘液を飛ばして攻撃してくる様子は、まさに強欲により巨大化した蜘蛛を思わせます（一八巻一五五話）。ウンゴリアントとレグラヴァリマに直接的な影響関係があるかどうかは分かりませんが、貪欲《どんよく》の権化としての大蜘蛛という、多くのファンタジーや神話に共通するモチーフを『約ネバ』のレグラヴァリマにも見て取ることができるのです。[*10]

果てしない貪欲さに膨れ上がるレグラヴァリマに対し、鬼の少女ムジカは「あなたはなぜ、そんなにもひもじく飢えているの？」（一八巻一五七話）と問いかけます。この言葉について、レグラヴァリマが想いを馳せる場面では、彼女は黄金や財宝の山の上に一人鎮座し、それでも消えない空《むな》しさに当惑します。

一八巻一五九話において、積み上げられた財宝の上で孤独にたたずみ、それでも癒されない欲望に苛まれる女王の姿は、『ホビット』において宝の山に囲まれながら、強欲の病に取りつかれ、誰のことも信用できず孤立するドワーフの王や王子の姿と重なります。

18巻159話より

ドワーフ達から国を奪ったドラゴンのスマウグもまた、黄金の魅力に取りつかれ、宝の山の上に居座りますが、彼もまたその貪欲の果てに、人間によって倒されてしまいます（文献21）。

トールキンは人間だけでなく、ホビットやエルフやドワーフ、そしてドラゴンなど、あらゆる種族が強欲に囚われ、堕落し、滅びていく過程を繰

り返し描きましたが、それは欲望こそが古今東西、あらゆる人間を突き動かし、時には繁栄をもたらし、そして時には破滅させる、普遍《ふへん》的な力だからだといえます。尽きせぬ欲望の果てに、自らが取り込んだ者達によって滅ぼされるレグラヴァリマは、欲望という普遍的な病の恐ろしさを体現した存在だったといえるでしょう。

王の帰還

『約ネバ』と『指輪物語』は、欲望に囚われた支配者が国を存亡の危機に陥れるという点で共通しています。『約ネバ』ではレグラヴァリマ女王の強欲により、多くの鬼達が餓死の危機にさらされ、さらにはノーマン達食用児による反乱で滅亡の瀬戸際まで追いやられます。

『指輪物語』においても、冥王《めいおう》サウロンが作り出した「一つの指輪」の持つ強大な力の誘惑に負けた国王イシルドゥアは、指輪を我が物としたいという自らの強欲によって命を落とし、彼の一族はその後王国の分裂などによって王位を追われ、王国も衰退の一途をたどります。

しかし、『約ネバ』も『指輪物語』も、戦いの果てに訪れる「王の帰還」により、国は再び復興の兆しを見せることになります。『指輪物語』において、放浪の旅をする野伏《のぶし》として登場する剣の達人アラゴルンは、実は国王イシルドゥアの血を引いた王位継承者であることが明かされます。指輪の欲望に負け、世界を危険にさらしたイシルドゥアの末裔《まつえい》であるという暗い影を背負いながらも、アラゴルンはホビットやドワーフ、エルフ達と共に、冥王サウロンの復活を阻止する戦いに立ち上がります。

『指輪物語』の三作目である『王の帰還』(*The Lord of the Ring: The Return of the King*, 1955) では、ついにサウロンとの戦いに勝利したアラゴルンが、自分の故国であるゴンドールの王位を継承する顛末《てんまつ》が描かれますが、『約ネバ』の最終章においても、まさに「王の帰還」というべき出来事が起こります。レグラヴァリマ女王の暴挙により乱れた治世を正し、鬼を絶滅の危機から救う新たな「王」は誰なのか、それは……二〇巻を読んでのお楽しみです!

5

鬼社会とイギリス社会
～階級、キツネ狩り、女王～

ここまでイギリスの児童文学と『約ネバ』の関係性を見てきましたが、そもそも『約ネバ』の世界観とイギリスには多くの類似点があります。ここでは、特にイギリス社会や文化の特徴と『約ネバ』の鬼の社会とを比較してみたいと思います。

まず第一に、『約ネバ』の舞台となっている場所はイギリスである可能性が高いのです。エマ達がGFハウスで読んでいる本は英語で書かれており（一巻四話）、少女コニーが描いた絵には「MOM（ママ）」、「ME（私）」と英語で書き込まれており（一巻一話）、さらにゴールディ・ポンドの看板に書かれた猟場のルールも、「1. MUSIC（音楽） 2. MONSTERS（怪物） 3. SURVIVE（生き残れ）」（八巻六五話）と英語で書かれていることなどから、食用児達が話している言葉は英語であり、一話のトラックの場面での鬼達の会話をエマ達が理解していることからも、鬼が使う一般的な言葉もまた英語だと推測できます。

さらに、エマ達がGFハウスの図書室で世界地図を広げた時、その地図はイギリスを含んだヨーロッパを中心に描かれており、太陽の位置や四季から考えて「北半球」の「中緯度」のどこかであるとレイは見当をつけています（一巻五話）。これらの条件から、作品の舞台となっている土地がイギリスをイメージしていると考えることができます。

階級

さて、何より注目すべきは鬼社会の構造です。鬼社会について、ノーマンは「鬼達の社会は一枚岩じゃない。王・貴族・平民、更《さら》にその下。明確な身分階層があってね」（一五巻一二六話）と語っています。このような身分制度はかつてどの国にも多かれ少なかれ存在したといえますが、今もなお歴然とした階級意識が存在し、階級こそがその国の特徴であり、誇りであり、そして社会問題である国といえば、イギリスをおいて他にありません。

イギリスの階級は上流階級（upper class）、中流階級（middle class）、労働者階級（working class）に大きく分けられます。さらに厳密にいえば中流階級の中でも高学歴で弁護士や医者、官僚などの多いアッパー・ミドル・クラス（upper middle class）や、自営業や会社員の多いロウワー・ミドル・クラス（lower middle class）など細分化されますが、ここでは大まかな階級のみを扱いたいと思います。

イギリスの上流階級はいわゆる貴族や大地主など、仕事をせずとも領地を収入源として食べていける階級を指します。中流階級は何らかの商売や職について収入を得る人を指し、労働者階級は肉体労働者や職人からなる階級とされています（文献22・三八頁）。もちろん、現在では上流階級であっても職についている人も多く、労働者階級を自認する有名俳優や政治家もいます。しかし、いずれにしても英語の発音、食生活、住居、服装、持ち物など、生活のあらゆる側面で「階級」意識が付きまとうのがイギリスの特徴でもあります。

レウウィス「大公」、イヴェルク「公」、バイヨン「卿」といった呼び名も、イギリスにおける爵位を思わせる呼び名だといえます。「大公」（Grand-duke）は王に次ぐ高い地位であり、「公」もしくは「公爵」（Duke）は大公に次ぐ爵位です。「卿」（Lord）は公爵より下位の侯爵《こうしゃく》（Marquess）、伯爵《はくしゃく》（Earl）、子爵（Viscount）、男爵（Baron）の爵位を持つ貴族の呼称となります（文献23・六〇頁）。

15巻126話より

まさに、「王・貴族・平民、更にその下」（一五巻一二六話）と明確に分けられた身分制度や、貴族の爵位を持つ鬼の社会は、現在でも階級制度を色濃く残すイギリス的な社会であるといえるでしょう。

そして、イギリスの階級は「生まれ」に強く縛られる点が特徴的です。裕福《ゆうふく》になったからといって上流階級になれるわけではなく、また貧乏になったからといって労働者階級になるわけでもありません。上流階級に生まれれば、どんなあばら家で暮らしても上流階級であり、またどんなにお金を稼《かせ》ぎ、豪邸に住もうと、生まれが労働者階級ならばその人は労働者階級なのです。

イギリスにおいて階級を上昇しようとする行為は嘲笑《ちょうしょう》の対象となることも少なくないといわれています。必死で知識や教養を身につけ、上流階級らしい上品な英語を話し、立派な屋敷を持っても、「成り上がり」として蔑《さげす》まれることも多いのです（文献22・四二頁）。『約ネバ』においても、貴族であるバイヨン卿（当代）が、低い階級からある理由で貴族となった粗暴な鬼ドッザに対し、「これだから下賤《げせん》の成り上がり者は…」（一五巻一三一話）と苛立《いらだ》ちを見せる様子は、階級を上昇しようとする行為を蔑むイギリスの伝統的な価値観と重なるといえます。ドッザの息子であるルーチェが他の貴族鬼と比べてもひときわ派手な仮面をかぶり、多くの召使いに担がせたみこしに乗り、傲慢《ごうまん》に振る舞うのもまた、成り上がり者のドラ息子らしい振る舞いだといえるでしょう（八巻六六話）。

何より、この通常動かすことのできない階級をのし上がろうとするドッザの野望こそが、ある悲劇を生み出すことになるのです。一七巻において、貴族鬼ギーランを裏切り、陥《おとし》れたのは、ギーランの部下として仕えていたドッザであることが明かされます。ドッザはギーランを反逆者として王家に売ることで、女王の権限で上流階級の貴族の仲間入りを果たします。イギリス的な階級制度にもとづいた鬼の社会におけるドッザの成り上がりは、

五摂家《ごせっけ》
ドッザ卿《きょう》
ゲッ
別《べっ》によかろう
陛下《へいか》がお見《み》えになれば皆《みな》跪《ひざまず》くのだ
これだから下賤《げせん》の成《な》り上《あ》がり者《もの》は…
全《まった》く…お主《ぬし》も親父《おやじ》同様《どうよう》堅苦《かたくる》しいのう
バイヨン
五摂家《ごせっけ》
バイヨン卿《きょう》(当代《とうだい》)
イラ

15巻131話より

社会の正常なあり方を歪める、不道徳な行為として描かれているといえます。

イギリスの小説家J・K・ローリング（J. K. Rowling, 1965-）の『ハリー・ポッター』（*Harry Potter*, 1997-2007）シリーズでも、魔法界は純血（両親が魔法使い／上流階級）、半純血（片親が魔法使い、片親が人間／中流階級）、マグル（人間／労働者階級）というイギリスの階級制度を反映した身分制度を持っています。闇《やみ》の魔法使いヴォルデモートはもともと純血の一族を祖先に持ちながら、魔女である母親が人間の男性に恋をしてしまった結果、自分に人間の血が混じり、純血から半純血になってしまったことを悔います。その結果、ヴォルデモートは極端な純血主義に走り、マグルを絶滅させることで、自身の階級上昇をはかろうとします。一見すると、理解不能な邪悪の権化《ごんげ》のように見えるヴォルデモートですが、その行動の背景には半純血（中流階級）から純血（上流階級）にのし上がろうとする、階級コンプレックスが潜んでいると考えられるのです（文献24・六二～七三頁）。

このように、イギリスの厳然たる階級社会を背景に持つ物語において、階級に関するコンプレックスは登場人物の行動を大きく左右する要素となり、上流階級であることへの歪んだ執着は殺戮《さつりく》や破滅を生み出すことになります。ヴォルデモートの純血（上流階級）への回帰の野望が魔法界と人間界を揺るがす大戦争を巻き起こすように、ドッザの身分上昇の野望もまた、鬼社会に亀裂《きれつ》をもたらす事件を生むのです。

キツネ狩り

先ほど、階級社会であるイギリスでは言葉遣いや振る舞いなどにもその階級独自の特徴があると述べましたが、「スポーツ」においてもその違いは顕著《けんちょ》です。かつて「狩り」はイギリスの上流階級特有のスポーツでしたが、その中でも「キツネ狩り」は独自の価値を有していました。そして、このキツネ狩りこそ、バイヨンの「猟場」と様々な共通点を持つスポーツなのです。

キツネ狩りは一六世紀頃からイギリスで行われた記録が残る伝統的な狩りであり、特に上流階級のスポーツとして一般化しました。赤いジャケットに白いズボンを身にまとった貴族達が馬に乗り、数多くの猟犬を従えてキツネ狩りを行う様子は、長らくイギリスの伝統的風景であるとされてきました（文献22・一四一頁）。キツネ狩りは最初に見つけた一匹のキツネだけを追い、また直接銃で撃つということはせずに猟犬に狩らせるという点で

シガレットカードに描かれた伝統的なキツネ狩りの様子（Getty Images）

「紳士的」で「フェア」な狩りと考えられてきました（誰にとって紳士的でフェアなのかはさておき）。

しかし、無力なたった一匹のキツネを大勢の人間と犬が追い回し、最後には猛《たけ》り立った猟犬達によってキツネが引き裂かれて死ぬというこの狩りは、一九七〇年代頃から残酷であるとして反対意見が高まり、キツネ狩り反対派と賛成派の対立の末、ついに二〇〇五年にキツネ狩りはイギリスで禁止されることになったのです。

それでもなお、法律で禁止されたにもかかわらず、キツネ狩り解禁を求める声は消えてはいません。キツネ狩り賛成派はキツネ狩りはイギリスの伝統的文化であり、これがなくなればイギリスの大きな損失であると訴え、二〇一七年にはテレーザ・メイ首相が保守党の選挙公約にキツネ狩り禁止令の廃止を含めると発言し、大規模な反対デモが起こりました。

現実のイギリス社会で賛否両論を巻き起こしたキツネ狩りですが、『約ネバ』において行われる鬼による「人間狩り」とはどのようなものなのでしょう。

八巻から一一巻で描かれる「猟場」は、貴族鬼バイヨンが密かに作った秘密の狩猟場であり、そこでは食用児達が獲物として放たれ、貴族鬼達が遊びとしての狩りを楽しみます。

無力な子供達を圧倒的な力を持った鬼達が追い回し、狩り殺す様子は残酷極まりないものであり、あたかもたった一匹のキツネを大勢の人間や猟犬が追い詰めて殺す、イギリスのキツネ狩りの残虐さを連想させます。また、子供達に与えられた武器は鬼を殺す威力を持たないため、基本的に鬼達はリスクのない狩りを楽しめるわけですが、これはキツネ狩りにおいて、キツネが人間に反撃したり、傷つけたりできるほどの牙も爪《つめ》も持たないことと似通っています。どちらも狩る側が圧倒的に優位な条件で行われる、あくまでも「遊び」としての狩りだといえます。

8巻66話より　「人間狩り」への出発を前に談笑する貴族鬼達

こんな昂《たかぶ》った朝《あさ》には
狩《か》りをせずには
いられない

9巻76話より　意気込んで人間狩りに出かける貴族鬼達

しかし、鬼達にとって、狩りは単なる遊戯以上のものであったことがやがて明らかになります。レウウィス大公の「昔は良かった。昔は……。生きるか死ぬかの騙《だま》し合い。スリル、血湧き肉躍るあの感覚。そう、狩りは互いに命を懸けるから面白いのだ」（八巻六六話）という言葉からも分かるように、現在の鬼社会では「命を懸けた」本気の狩りができなくなっているのです。

これは鬼と人間が交わした「約束」によって、鬼は人間を狩ることが禁じられた結果なのですが、農園で育てられた食用児だけを食べるうちに、貴族鬼のバイヨン卿は狩りができない欲求不満から食べ物の味すら感じられなくなってしまいます。やがて、バイヨン卿は自邸の庭に生きた食用児を放ち、狩りの真似事《まねごと》をして得た肉を食べるのですが、その時、「味がする…！」「私は今、活きた命を食べている」（一〇巻八四話）と涙するバイヨン卿の姿は、狩りが単なる遊び以上の、鬼としての生き様と深く結びついていることを痛切に表しています。

その後、バイヨン卿は「猟場」と呼ばれる秘密の場所で生きた食用児を放ち、仲間の貴族鬼達と共に密かに狩りの真似事をして楽しむようになります（一〇巻八四話）。

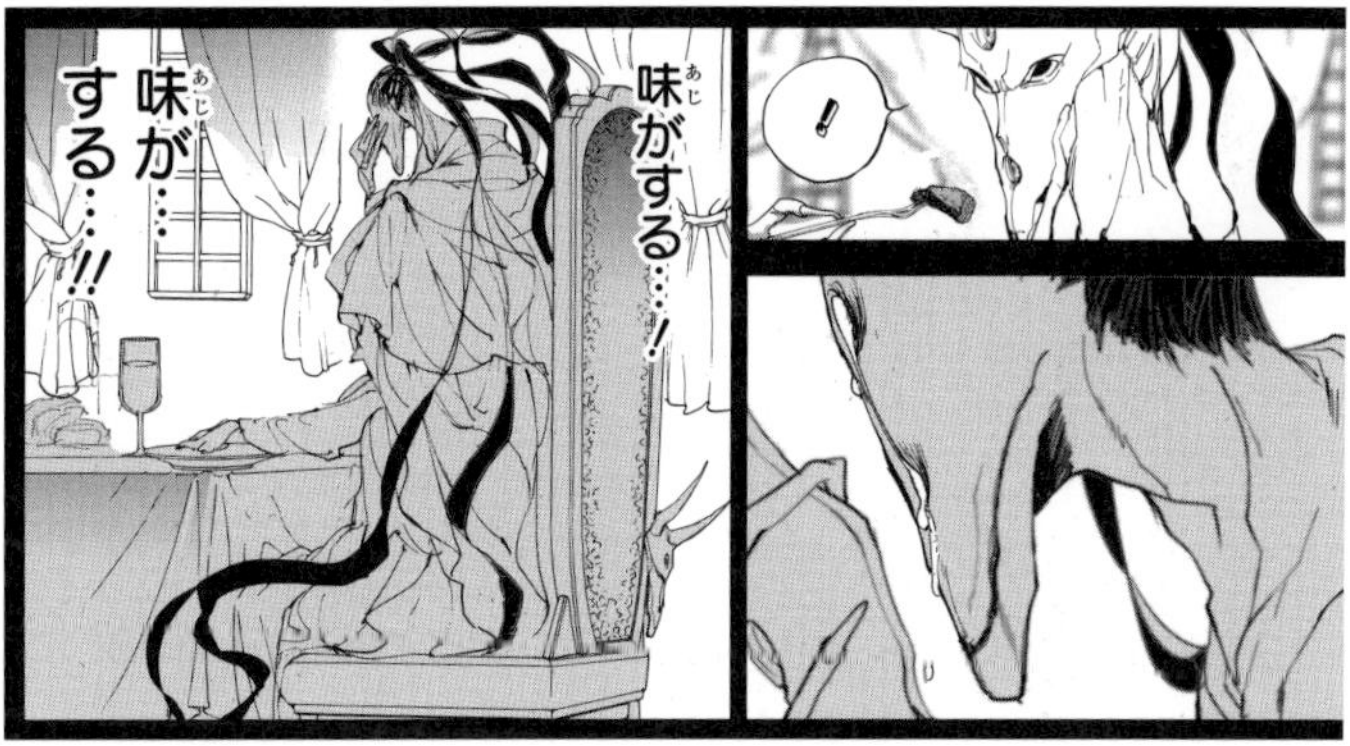

10巻84話より

10巻84話より

食用児を弄ぶ残酷な狩りを禁止されているにもかかわらず強く求め、「だが必要なのだ。救われたのだ」(一〇巻八四話)と言うバイヨンの姿勢は、その残虐さゆえに禁止されたキツネ狩りを、イギリス人としての誇りや上流階級のアイデンティティを保持するための重要な伝統として求め続ける、イギリス上流階級の一部の貴族の姿と重なるのです。

女王

このように、伝統的なイギリスを彷彿とさせる鬼社会ですが、その頂点に君臨する統治者の存在もまた似通っています。鬼の世界を支配しているのが、男性の王ではなく女王であったことは、これまで『約ネバ』に登場した鬼のほとんどが男性であったことを考えると、読者に驚きをもたらすものだったといえるでしょう。しかし、イギリスとの類似性を考えるのであれば、これはあらかじめ定められた展開だったのかもしれません。

イギリスには「女王の治世に国が栄える」という言い伝えがあります。特に一六世紀のエリザベス一世(Elizabeth I, 1533-1603)の統治により、イギリスはスペインの無敵艦隊《かんたい》を破り、強国としての力をつけ、一九世紀のヴィクトリア女王(Victoria, 1819-1901)の時代には「七つの海を支配するイギリス」と呼ばれる強大な大英帝国となります。現在でもエリザベス二世（Elizabeth II, 1926-）がイギリス王室の代表として強い影響力を示しているように、イギリスは女王が歴史的に大きな存在感を放つ国だといえます（文献25・一八一頁）。

鬼の女王レグラヴァリマも圧倒的な権力と身体能力の高さによって鬼達を従え、さらに非常に豪華で華やかな装飾が施された外見をしています。特に複雑に結い上げられた髪や特徴的な高い襟《えり》のドレスなどがその権力の強さを示しています[*11]（一五巻一三一話）。

このような強さと華やかさを備えた女王の姿は、同じく、大きな襟や華美な服装を身に着けた肖像画で有名なエリザベス一世を思い起こさせます。イギリスに女王は何人も存在しますが、やはりイギリスを強大な国家へと押し上げる基礎を築いたエリザベス一世こそ、鬼の世界を支配する女王のモデルにふさわしいといえるでしょう。また、結婚している様子のないレグラヴァリマですが、この点も生涯未婚を通し、「処女王」（Virgin Queen）と呼ばれたエリザベス一世と似通っています。

さらに、レグラヴァリマが行った「邪血」の迫害もまた、イギリスにおいて行われた、ある女王による血みどろの宗教改革を連想させます。

15巻131話より

『約ネバ』の鬼達は通常、人間を食べ続けなければ人間並みの知性や人型の姿を保てず、獣のような姿に退化してしまうとされていますが、一五巻一二七話で、人間を食べずとも知性や姿を保つことができる突然変異の鬼であるムジカの血を飲むことで、同じように人間を食べなくてもよい特性を得られることが明らかになります。

　しかし、レグラヴァリマはこの特殊な血を持つ鬼達を「邪血」と呼び、反乱分子として皆

エリザベス1世（大修館書店『図説イギリス文学史』より）

殺しにしてしまいます。農園制度によって鬼達を統率し、支配しようともくろむレグラヴァリマにとって、「邪血」の存在は邪魔だったのです。罪もない鬼達がレグラヴァリマの命令で殺され、その死体が並べられた光景は目を覆うほどの惨たらしさです。

しかし、イギリスにおいても、かつてメアリー一世（Mary I, 1516–1558）の命により、宗教改革にもとづく迫害と殺害が行われました。メアリー一世はイギリス国王ヘンリー八世とその最初の妃《きさき》キャサリンとの間に生まれ、王女として育ちますが、男児が生まれなかったヘンリー八

メアリー1世（Getty Images）

世は妻キャサリンと離縁し、侍女のアン・ブーリンと再婚します（なお、ヘンリー八世とアン・ブーリンの間に生まれた娘が、後のエリザベス一世となります）。

もともとイギリスはキリスト教の中でも、伝統を重んじ、離婚が禁じられているカトリックを信仰してきましたが、ヘンリー八世はキャサリンと離婚するためカトリックから離脱し、自ら英国国教会という新たな宗派を立ち上げてしまいます。その後、ヘンリー八世の後を継いだエドワード六世によって、イギリスの宗教はプロテスタントへと改革が進められますが、厳格なカトリック教徒として育ったメアリーは、頑《かたく》なにこの宗教改革を拒否《きょひ》します。

病弱なエドワード六世がわずか一五歳で死亡すると、メアリーは王位につき、イギリスの宗教を再びカトリックに回帰させるため、プロテスタントへの迫害を行いました。女性や子供を含む三〇〇人ものプロテスタントを処刑したことにより、メアリー一世は「血まみれのメアリー」(Bloody Mary) と呼ばれ、恐れられました。今日でもその名はトマトジュースを使った血のように赤いカクテル「ブラッディ・マリー」に残されています。

「邪血」と宗教との関係は第2章で詳しく検証するのでここでは触れませんが、自分の政策の障害となる者達を、女子供の区別なく殺害し、恐れられた女王であるという点で、レグラヴァリマとメアリー一世は重なり合います。真紅のドレスに身を包み、赤い髪を王冠のようにいただき、自分にとって都合の悪い者を全て排除し、自分の親兄弟までも殺して暴虐の限りを尽くすレグラヴァリマは、まさに「血まみれの」女王と呼ぶにふさわしいといえるでしょう。

このように、『約ネバ』を形作る世界観やキャラクターの背後には、現実社会のイギリスの社会階級や文学、文化、歴史との関連を見出すことができます。それが、架空の世界であるはずの鬼社会に不思議な説得力と深みをもたらし、一見単なる悪者に見えた鬼達の持つ、葛藤《かっとう》や行動原理などを鮮やかに描き出すのです。

コラム① レウウィスのペットはなぜ猿なのか

楽しみのために人間を殺そうとする恐るべき貴族鬼、レウウィス大公の肩には、いつもパルウゥスという名の小さな猿が乗っています。なぜ、レウウィスのペットは犬でも猫でもなく猿なのでしょう？「狩り」というモチーフに合わせるのであれば猟犬でも良いでしょうし、悪者のペットとしては猫なども定番です（『007』シリーズの悪の組織スペクターの親玉はいつも膝《ひざ》にペルシャ猫を乗せています）。しかし、西洋絵画における猿の象徴性を通してみると、レウウィスのペットとして猿がうってつけだったことが分かります。

ヨーロッパにおいて、猿は長い間「不道徳」や「卑《いや》しさ」「好色」のシンボルでした。ジョルジュ・スーラの有名な点描派《てんびょうは》の絵画『グランド・ジャット島の日曜日の午後』（左頁図）に描かれた日傘《ひがさ》を差した男女のカップルは、猿をペットとして連れていることから愛人同士であるといわれています（文献26・一七六〜一九二頁）。

ジョルジュ・スーラ『グランド・ジャット島の日曜日の午後』（1884-1886）
右手前の男女の足元に猿が描かれている（Getty Images）

人間に似ていながら、毛に覆われ、本能のままに行動する猿は、理性や道徳を持たない野蛮人を連想させるのかもしれません。その一方で、ヨーロッパでは中世から宮《きゅう》廷《てい》や商人など裕福な人々の間で猿は人気のペットとなります。シャルル・ペローの童話「眠り姫」の中で、眠り姫と王子の間に生まれた息子がペットの猿を相手に戦いごっこをしていることからも、王侯貴族が好んで猿を飼育していたことがうかがえます（文献27・六八頁）。

高価でエキゾチックな猿を飼うことはステータスシンボルでもあり、特に小型のリスザルやオマキザルなどが人気だったとい

8巻68話より　レウウィス大公の右肩に乗っているペットのパルウゥス

いますが、そう考えると丸い頭と長い尾を持つ小型の猿であるパルウゥスはリスザルに似ているようにも思えます。

　大公という裕福で高い地位にあり、「血湧き肉躍る戦い」のみを追い求める、ある種の快楽主義者であるレウウィスにとって、「不道徳」と「裕福」の象徴である猿はお似合いのペットだといえるでしょう。

第2章

原初信仰とユダヤ・キリスト教

『約ネバ』の物語において、鬼の世界にも宗教があることが、六巻で明らかとなります。GFハウスから脱走したエマ達が森で追手に追われている時、助けてくれた二人の鬼、ソンジュとムジカが信仰しているのが、「原初信仰」と呼ばれる鬼達の宗教です。この原初信仰と、そしてムジカの存在は、様々な点でユダヤ教とキリスト教と深い結びつきがあるように私には思えるのです。そこでこの章では、原初信仰とユダヤ教、そしてキリスト教の関係について解き明かしていきたいと思います。

1 ユダヤ教とは何か ～原初信仰とソンジュ～

ユダヤ教

そもそもユダヤ教とはどのような宗教なのでしょうか。世界五大宗教に数えられるユダヤ教は、紀元前一三世紀頃の中近東で生まれ、今日のイスラエルがあるパレスチナの地を中心に、その地のイスラエル人によって信仰された宗教です。イスラエル人はヘブライ人とも呼ばれ、もともと遊牧民でしたが、やがて部族連合を作り、紀元前一一世紀頃にイスラエル王国を築きます（文献28・一二二～一五六頁）。

しかし、紀元前一〇世紀頃にイスラエル王国は南北に分裂し、北王国は「イスラエル」、南王国は「ユダ」と呼ばれます。そして北のイスラエル王国は紀元前八世紀にアッシリア王国に滅ぼされ、南のユダ王国が紀元前六世紀にバビロニア王国によって滅亡すると、イスラエル人達は捕囚《ほしゅう》としてバビロニアの首都、バビロンに連れ去られます。

この、いわゆる「バビロン捕囚」によって連行されたイスラエル人達が「ユダ王国に属する者」であったため、国を失ったイスラエル人達は、「ユダヤ人」と呼ばれるようになり、現代までその呼び名が定着しています。

さて、イスラエル人、もといユダヤ人達は、このバビロン捕囚時代にユダヤ教の聖典となる『旧約聖書』を編纂《へんさん》します。なぜなら、バビロニアで生活するうちに、その地の文化や宗教に染まってしまい、ユダヤ人としてのアイデンティティを人々が失いつつあったたからです。そこで、ユダヤ人はバビロニア人とは異なる、独自の教義や生活の規定を定め、ユダヤ人としての民族的アイデンティティを保持するため苦心します。

国を持たないユダヤ人達にとって、自分達をユダヤ人たらしめるのはもはや宗教しかありません。それゆえ、ユダヤ人とは「ユダヤ教を信仰する人」とほぼ同義といえます。ユダヤ教は信仰こそが民族であるという特異な性質を持つのです。

そのため、ユダヤ教には衣食住に関わる全てに何らかの規定があるといっても過言ではないほど、多くの決まりを持っています。現在、私達は日曜日を休日としていますが、これはもともとユダヤ教の「安息日」（正確には金曜日の日没から土曜日の日没まで）がキリスト教に伝わり、日本にも広まったものです。

ユダヤ教において、食事や髪型、服装に関わる規定は特徴的ですが、その規定のうちのいくつかがソンジュ達の守る原初信仰と似ている点があるのです。次の項目では、ユダヤ教の様々な戒律と原初信仰の戒律を比較してみたいと思います。

食物規定と「儀程《グプナ》」

ユダヤ教において、食物に関する規定は「カシュルート」と呼ばれ、この規定に沿った食物をヘブライ語では「カシェル」、英語では「コーシャー」（Kosher）と呼びます。ユダヤ教の聖典である『旧約聖書』によれば、牛や羊など、蹄《ひづめ》が分かれ、反芻《はんすう》する動物は食べてよいが、豚やウサギなどは蹄がない、あるいは反芻しないため食べてはいけないとされます。水中の生物では鱗《うろこ》と鰭《ひれ》があるものは食べてよいが、鰻《うなぎ》のような鱗が判然としない魚や、貝類、甲殻類《こうかくるい》も食べることができません（レビ記11：1－47。聖書の引用等は文献29によった。以下同）。さらに「あなたは子山羊《こやぎ》をその母の乳で煮てはならない」（出エジプト記23：19、34：26、申命記14：21）という掟《おきて》にもとづき、乳製品と肉製品を同時に食べてはならない、という決まりもあります。

ソンジュ達が信仰している原初信仰もまた、明確な食物規定を持っています。エマ達は初め、自分達を救ってくれたソンジュとムジカが鬼であることに気づくと、食べられてしまうのではないかと警戒します。しかし、ソンジュは「信仰のために人間を食わないと決めている」」（六巻四六話）と言います。一見、食用児達をほっとさせてくれる優しい宗教のようにも見えますが、ソンジュは「『原初信仰』の教義上、狩猟という形で神がつくり出

6巻46話より

した命をいただくのなら、神への反逆には当たらない。天然物なら俺は食うぜ」（六巻五一話）とも言います。

特に、肉を食べる際の処理の仕方において、ユダヤ教と原初信仰は似た方法を用います。ソンジュは狩りの仕方を教えて欲しいというエマに、「儀程《グプナ》」と呼ばれる儀式の方法を伝授します。ヴィダという吸血植物を獲物に刺すその儀式は、「神に糧《かて》を捧《ささ》げる。神が受け取ったら花が開く。そしたらその肉は食べてもいい」とされ、獲物を授けてくれた神への感謝の儀式であり、同時に「血抜きも

6巻49話より

兼ねている。やると肉が長くもつ」のだと説明されます（六巻四九話）。「血抜き」は、ユダヤ教の食物規定においても必須《ひっす》の要素となります。「肉は命である血を含んだまま食べてはならない」（創世記9：4。ほかにレビ記19：26）という教えのため、肉を調理する際は「コーシャー・ソルト」と呼ばれる粗塩をふりかけ、血を抜きます。

食べてもよい食物とそうでない食物を明確に分け、肉の処理の方法まで厳密に定められたユダヤ教において、「食べる」という日常の行為は神への信仰心を証明する重要な手段となります。ソンジュ達が信仰する原初信仰もまた、「食べる」という行為を通じて、命の尊さと、命を与えてくれた神への敬意を示しているのかもしれません。

ソンジュの髪型

ソンジュの外見の中でも、胸まで届くほど長く伸ばされたもみあげは、とりわけ目を引きます。後ろ髪は短く切っているのに、なぜもみあげだけをあんなに長く伸ばしているのでしょう。

実は、長く伸ばしたもみあげは、正統派ユダヤ人男性の伝統的な髪型の特徴でもあります。ユダヤ教では、「もみあげをそり落としたり、

正統派ユダヤ人男性の髪型（Getty Images）

ひげの両端をそってはならない」（レビ記19：27）という『旧約聖書』の教えにもとづき、男性はもみあげやひげを長く伸ばし、カーラーで螺旋《らせん》状に巻く習慣があります。

実際、ソンジュの長いもみあげもゆるやかな螺旋状に巻かれており、格好いい髪型であると同時に、ある意味ユダヤ的な髪型ともいえます。

そう考えてみると、髪留めで束ねられたイヴェルク公の長いもみあげや（一五巻一三一話）、五〇〇年から一〇〇〇年前のバイヨン卿のややカールしている長いもみあげなどもまた（一〇巻八四話）、ユダヤ教の髪型の規定を連想させます。鬼の世界においても、長く伸ばした（あるいは螺旋状に巻いた）もみあげは、原初信仰の教えにもとづく伝統的な髪型なのかもしれません。

なお、深読みかもしれませんが、

6巻49話より　ソンジュの髪型

バイヨンの髪型が五〇〇年前から二〇〇〇年前の間で少し変化し、長い髪を全て束ねることで、長いもみあげの部分がなくなっているように見えるのですが、これは鬼の社会における原初信仰の立ち位置が変化したためではないかと考えることもできます。

一〇〇〇年前に交わされた「約束」によって鬼が人間を狩らなくなった結果、鬼の社会では「神が作り出した命」、すなわち農園で育てたのではない「天然物」の人間を食べることが不可能になり、原初信仰の戒律がゆるめられたことが六巻で明らかとなります。その結果、原初信仰の社会への影響力は弱まり、エマ達が一二巻一〇三話で訪れた原初信仰の寺院は閑散《かんさん》としています。[*12]

つまり、五〇〇年前はまだ原初信仰の名残のため、バイヨンのもみあげは螺旋を描いて長く伸ばされていますが、二〇〇〇年前になると、ついに原初信仰の教えからバイヨンが離れ、長い髪を全て一つにまとめた髪型に変化したのかもしれません。もちろん、単なるイメチェンなのかもしれませんが……。

15巻131話より　イヴェルク公の髪型

10巻84話より　バイヨン卿（先代）の約500年前の髪型

蛇《へび》の忌避《きひ》

一二巻において、エマ達は人間の世界へ脱出するためのヒントを探す中で、鬼の寺院を訪れ、そこで原初信仰の教えを示す装飾や天井画を発見します。壁にかけられた絵の中に、鬼の進化の歴史が簡潔に描かれています（一二巻一〇三話）。

小さな不定形な何か（ノーマンの言葉を借りるなら「細菌《さいきん》」に似た最初期の鬼）と二足歩行の生き物（角が生えているので、太古の鬼？）の絵の下には、それぞれ魚類、四つ足の獣、人間、蛇、虫が描かれ、最後にそれぞれが虫や獣や人間の特性を備えた鬼へと進化した様子が表現されています。恐らく、鬼の「細菌」がどんな生き物を食べたことで、現在のような姿になったかを説明する絵なのでしょう。

その絵の中で唯一、蛇の絵の下に×が描かれています。すなわち、蛇を食べた鬼の「細菌」は、結局何にも進化できなかったと推測できます。犬型や猿型など、多様な鬼が存在する中、なぜ蛇型の鬼は存在しないのでしょう？　この謎に対する手がかりもまた、『旧約聖書』の中に見出すことができます。

12巻103話より　寺院の壁に掛かった絵。鬼の進化の過程が描かれている

1巻7話より　丸で囲んだ鬼は……いったい何型の鬼なのでしょうね？

『旧約聖書』の「創世記」において、神によって創られた最初の人類であるアダムとイヴは無垢な存在としてエデンの園に暮らしていましたが、蛇にそそのかされた結果、イヴは禁断の知恵の木の実を食べてしまい、アダムとイヴはエデンの園を追放されてしまいます（創世記3：1―24）。

以来、蛇は「このようなことをしたお前はあらゆる家畜、あらゆる野の獣の中で呪《のろ》われるものとなった」（創世記3：14）と神から呪われ、『旧約聖書』を聖典とするユダヤ教と、『旧約聖書』と『新約聖書』を共に聖典とするキリスト教において、人類を堕落へ導いた悪《あ》しき存在として忌避されることになります。

ユダヤ教とどこか似通った要素を持つ原初信仰において、蛇が鬼に進化しなかったのも、ユダヤ・キリスト教において蛇が呪われた存在であるためかもしれません（と言いつつ、一巻の最後でイヴェルク公と共にテーブルを囲んでいる鬼の中に、頭が二つあり、長い首が蛇のようにとぐろを巻いている鬼がいるのですが……いや、きっとこの鬼は蛇型ではなくて……何なのでしょう？）（一巻七話）。

ヘブライ語と鬼の言語

鬼達が基本的に英語を話しているらしいことは第1章で述べた通りですが、ソンジュとムジカは二人きりで秘密の話をする時、人間の言葉とは異なる、鬼の言語を用います（六巻四八話）。また、鬼に育てられた人間の少女、アイシェもまた、この鬼語を話すことができます（一六巻一三五話）。

一見すると、鬼達の誰もがこの鬼語を話すことができるようにも見えますが、一六巻のカバーの見返しに書かれた原作者の白井カイウ先生によるコメントでは「鬼語を使える鬼は今やほとんどいません」とあり、鬼語は鬼社会において廃《すた》れた言語となっているようです。

鬼語はなぜ衰退してしまったのでしょうか。その理由を考察するにあたり、ユダヤ教徒達の言葉であるヘブライ語の変遷《へんせん》がヒントになるかもしれません。

ヘブライ語は古代のユダヤ人（イスラエル人）達が使用した言語であり、右から左へと筆記します（文献30・八八頁）。現在使用されているヘブライ文字は特徴的な角ばった書体を持ち、全体的に四角い形となり、「方形ヘブライ文字」と呼ばれます。これらのヘブライ文字の特徴は、鬼語と様々な共通項を持っています。

6巻48話より　鬼語の例

まず、鬼語の文字は一文字ずつが（おおよそですが）四角い形の中に納まるように書かれており、漢字にも似ていますが、「方形ヘブライ文字」ともどこか似通っています。また、鬼語を書く際の文字の方向は明確には示されませんが、エマ達食用児の首に書かれた数字の向きから推測することができます。

レイの首には横向きに８１１９４、ノーマンには２２１９４、エマには６３１９４と書かれており、英語を読む時のように左から右に読むとランダムな数字に見えますが、ヘブライ語のように右から左へ読めば、４９１１８、４９１２２、４９１３６とな

ו V	ה H	ד D	ג G	ב V	בּ B	א ※
ל L	כ/ך CH	כּ K	י Y	ט T	ח CH	ז Z
ץ/צ TS	ף/פ F	פּ P	ע ※	ס S	ן/נ N	ם/מ M
		ת T	שׂ S	שׁ SH	ר R	ק K

方形ヘブライ文字（子音）（ルーベン・ターナー『ユダヤ教のお祭り』掲載の図を参考に作成）

1巻1話より

り、通し番号となっているこしが分かります。そのため、鬼語がもともとヘブライ語のように右から左に書く文字であったのではないか、と推測することができるのです。

ヘブライ語はかつて古代ユダヤ人にとっての日常的な言語でしたが、やがて衰退の憂き目に遭います。前述したように、紀元前六世紀頃のバビロン捕囚によって、バビロニアで暮らすことを余儀なくされた古代ユダヤ人は、バビロニアで公用語として使用されていたアラム語を日常的に使用するようになり、しだいにヘブライ語を使用しなくなり、日常言語としてのヘブライ語は死語となってしまいます（文献30・八八頁）。

『旧約聖書』では人々が天まで届くバベルの塔を建設した結果、神の怒りに触れ、もともと一つだった人間の言語はばらばらになってしまったとされていますが（創世記11：1–9）、これはバビロニアという大都市へ移り住んだ結果、その地の多様な言語の影響を受け、古代ユダヤ人にとっての一つの言語であったヘブライ語が衰退したことを嘆く逸話《いつわ》だといえます（文献31・八六頁）。

鬼語が衰退した理由ははっきりとは示されませんが、「約束」によって人間を狩ることがなくなったことで、狩りを生活の基本とした原初信仰が廃れ、信仰を伝える言葉としての鬼語が使われなくなり、さらに農園において英語で教育された人間を食料とするうちに、人間の脳から英語を学習した鬼達は、文化レベルでも、細胞レベルでも鬼語を忘れてしまったのかもしれません。

古代ユダヤ人達は自分達の支配者となったバビロニア人に溶け込み、その言語や文化に「吸収」されてしまった結果、自らの言語であるヘブライ語を忘れてしまいましたが、鬼達は逆に、人間を支配し、その頭脳を「吸収」した結果、鬼語を喪失《そうしつ》したのではないかと考えることができるのです。

忘れられた神の呼び名

『約ネバ』において、鬼達は彼らの信仰の対象となる超自然的存在（ここからは便宜《べんぎ》上、アニメ版『約束のネバーランド』での例に従い、「あの方」と表記します）を呼ぶ時、発音できない、奇妙な文字で表現します。なぜ「あの方」は読者にとって「発音できない」呼び方で記されるのでしょうか。ここでは「あの方」の呼び名とユダヤ教の神の呼び名の類似性に注目してみたいと思います。

前述のように、バビロン捕囚以降、日常語としてのヘブライ語は廃れてしまいますが、それでもなおヘブライ語はユダヤ人にとっての「聖なる言葉」として継承されます。『旧約聖書』はヘブライ語でしたためれ、ユダヤ人の男子は成人の儀式で聖書をヘブライ語で詠唱し、宗教的な戒律をラビと呼ばれる宗教的指導者から学ぶことで、ヘブライ語の伝統を守るよう義務付けられました。

しかしながら、その過程で忘れられてしまったものもあります。ユダヤ教の神の呼び名です。もちろん、世界を創造した神の名は『旧約聖書』の中で繰り返し言及され、その名はヘブライ語で יהוה（YHWH）と記されます。しかし、ヘブライ文字は子音のみで表記され、母音を表記しないため、ヘブライ文字で書かれ

17巻146話より　「あの方」の名前を表す奇妙な文字

た言葉をどのように発音するかは口伝えで伝えるしかありませんでした。

バビロン捕囚以降、ヘブライ語を母語とするユダヤ人が減少したばかりでなく、さらに「あなたの神、主の名をみだりに唱えてはならない。みだりにその名を唱える者を主は罰せずにはおかれない」（出エジプト記20：7）という教えに従い、神への畏敬《いけい》のためにその名は口にされなくなり、代わりに「アドナイ」（主）や「エロヒム」（神）と呼ばれるようになります。その結果、長い時間の中でיהוה（ＹＨＷＨ）の正確な発音は忘れ去られてしまいます（文献29・付録三〇頁、文献28・一四九頁）。現在ではＹＨＷＨは「ヤハウェ」あるいは「ヤーウェ」（聖書の文語訳では「エホバ」）などと発音されたのではないかと考えられていますが、畏敬の念のために神の呼び名が失われてしまうとは、何とも数奇な出来事だといえるでしょう。

『約ネバ』において、鬼の信仰の対象である「あの方」の名前が読めない文字で記されていることは、ユダヤ教の神の名を人々が畏《おそ》れ、発音しなかったことと奇妙な類似点を持ちます。人間には読めない文字で記されることにより、「あの方」が安易にその名を口にすることの許されない、偉大な存在であることを暗示しているかのようです。

また、「あの方」の名を示す文字は、ムジカ達が話している鬼語の文字とは異なる象形文字で書かれていることも興味深い点です。ヘブライ文字にも、「方形ヘブライ文字」よりもさらに古い「原シナイ文字」という象形文字があり、「あの方」の名を示す文字とどこか似通っているようにも見えます。鬼語の文字が発展しても、

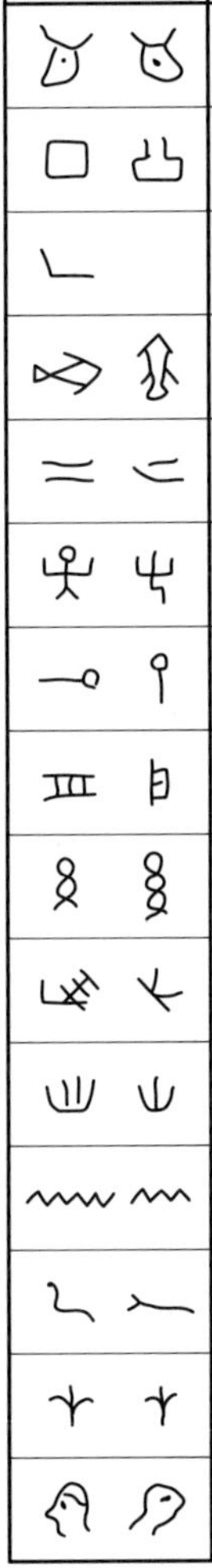

原シナイ文字	文字の意味
	牛頭
	家
	ブーメラン
	魚
	?
	声を上げる人
	ほこ
	垣（?）
	糸かせ
	腕
	掌
	水
	蛇
	草
	人の頭

原シナイ文字の例（三省堂『世界文字辞典』掲載の図を参考に作成）

16巻140話より

「あの方」の名を示す文字だけは変化しなかったことは、「あの方」がいかに古くから存在し、その名の表記を変えることすら畏れ多い存在として崇《あが》められ続けてきたかを示しているのかもしれません。

今のところ、鬼達は「あの方」の名を発音できているようですが、原初信仰に対する信心が「約束」によって失われつつあり、鬼語を話すことができる鬼がほとんどいなくなってしまった今、このまま時が経《た》てば、「あの方」の呼び名もやがては忘れられてしまうのでしょうか。

迫害と放浪

エマ達と初めて森の中で出会った時、ソンジュとムジカはこの森に住んでいるのかと食用児から尋ねられると、「住んではいないわ。旅をしているだけよ。旅をして、各地を転々としているの」(六巻四八話)と答えます。やがて、彼らの持つ「邪血」と呼ばれる特殊な血が、女王や貴族達にとって邪魔であったため、彼らの仲間は皆殺しになり、生き残ったソンジュとムジカも放浪の生活を余儀なくされていることが明かされます。

6巻48話より

ソンジュとムジカがこうむった迫害と放浪は、ユダヤ人が経験した、長く激しい苦難の歴史と重なる部分があります。前述したように、古代ユダヤ人の王国は紀元前八世紀にはアッシリアによって、紀元前六世紀にはバビロニアによって滅ぼされ、一部の民は捕囚としてバビロニアに連れ去られます。紀元前六世紀後半にペルシャ帝国によってバビロニアが征服されたことで、古代ユダヤ人は再び故郷イスラエルへ戻り、破壊された神殿を再建するなど復興を遂げたかに見えました。しかし、紀元七〇年に始まるローマ軍による侵略により、紀元一三五年にはユダヤ人は再び国を失い、エジプト、シリア、メソポタミアなど各地へ散らばって生きることになります。

ユダヤ人が故郷であるイスラエルを離れて生きるこ

と、およびイスラエルを離れて生きるユダヤ人を「ディアスポラ」（離散）と呼びますが、ローマ人の侵略によって引き起こされたユダヤ人の放浪の旅は、まだ始まったばかりでした。ディアスポラ以降、ユダヤ人はヨーロッパ全域にも広がりますが、激しい差別や迫害に見舞われます。特に歴史的に重大な事件は一九世紀末から二〇世紀初頭の「ポグロム」と、二〇世紀に起こった「ホロコースト」の二つです。

一九世紀末、ロシアの皇帝アレクサンドル二世が暗殺され、その暗殺にユダヤ人が加担したのではないか、という憶測によって、ロシアやウクライナでユダヤ人に対する大規模な略奪や破壊行為、虐殺が巻き起こります。これをロシア語で「ポグロム」（全的襲撃）と呼びます。背景にはユダヤ人が盛んな経済活動を行っていたことへの不満や、宗教的な敵意などがあるといわれています（文献30・六八頁）。この結果、ロシアやウクライナに暮らしていたユダヤ人の多くが西ヨーロッパやイギリス、カナダ、そしてアメリカに移住します。

さらに一九四〇年代、第二次世界大戦中には、ナチス・ドイツのアドルフ・ヒトラーによる徹底《てってい》したユダヤ人撲滅《ぼくめつ》作戦が実行され、アウシュヴィッツなどの絶滅収容所では、ガス室での殺害や銃殺が行われ、何百万人ものユダヤ人が命を落とします。「ホロコースト」（もともとは古代ユダヤ教の「全焼の犠牲」を意味するギリシャ語）と呼ばれるこの虐殺は非人道的行為の象徴となり、この恐るべき迫害から逃れるため、ユダヤ人はヨーロッパ各地やアメリカへ亡命を果たすことになります（文献30・六九頁）。繰り返される差別と迫害、そして虐殺の恐怖に追い立てられ、ユダヤ人は世界中を放浪する苦難にさらされてきました。

一方、『約ネバ』においても、「邪血」の鬼達が王政にとって不都合な存在と見なされ、女王の命令によって捕らえられ、皆殺しになる陰惨な出来事は、七〇〇年前にも起こり、そしてエマ達が生きる現在でもまた繰り返されてしまいます（一五巻一二七話、一九巻一六四話）。七〇〇年前の虐殺を生き延びたソンジュとムジカは追手から逃れるため、一か所に留まることなく放浪を続けますが、エマ達に協力するため王都に向かったことにより、反逆者として捕らえられて死刑を宣告されてしまいます。ソンジュとムジカ達の七〇〇年にわたる迫害と放浪の日々は、ユダヤ人が民族として経験した何百年にもおよぶ差別と虐殺と流浪の歴史と響き合うように私には思えるのです。

2 キリストの奇跡
～ムジカ～

血と癒し

ソンジュが大切に守る原初信仰が、どこかユダヤ教を思わせる要素を持つことは既に述べた通りですが、ソンジュと行動を共にするムジカは、ユダヤ教よりもむしろ、キリスト教と深いつながりを持って描かれていると考えられます。

食べ物によって形態を変化させる鬼の中で、特異体質として生まれたムジカは何を食べても形質に影響を受けず、人間を食べなくとも常に人間並みの知性と容姿を保つことができます。そして、ムジカの持つ最大の特徴は、彼女の血をほんのわずかでも口にすれば、どんな鬼もムジカと同じ体質になるという点です。ムジカはこの特性を利用し、農園からの人肉の供給が不足して鬼達が飢えに苦しんでいる時や、ノーマンの計略によって鬼の退

15巻127話より　少女鬼ムジカによる「奇跡」

化を促す毒が王都に撒《ま》かれた時にも、自らの血を分け与えて鬼達を退化から救います（一五巻一二七話、一八巻一五五話）。

この自らの血を分け与えるという行為と、多くの民へ広がる力、そして飢えや退化を癒す力は、いずれもキリスト教の聖典『新約聖書』に記された、イエス・キリストの奇跡を連想させます。

まずはキリスト教とユダヤ教の違いを簡単に整理したいと思います。イエス・キリストはユダヤ人として生を享《う》けますが、やがて独自の教えを人々に広め、死後、その教えはキリスト教という新たな宗教となります。そのため、ユダヤ教から派生したキリスト教においては、ユダヤ教の聖典である『旧約聖書』も、イエスの教えをまとめた『新約聖書』もいずれも聖典として扱われますが、ユダヤ教では『旧約聖書』のみが聖典とされます（文献28・一六二頁）。

『新約聖書』にはイエス・キリストが行った数々の奇跡が記されています。例えば、「イエスはペトロの家に行き、そのしゅうとめが熱を出して寝込んでいるのを御覧になった。イエスがその手に触れられると、熱は去り、しゅうとめは起き上がってイエスをもてなした」（マタイ8：14―15）というように、イエスは触れるだけで病にかかった者を癒し、さらには生まれつきの障害に苦しむ者から障害を取り除く奇跡を起こします（マタイ9：27―31、15：29―31、マルコ1：40―45）。

『約ネバ』では、人肉不足によって退化の危機にあった鬼達や、ノーマンの撒いた毒によって強制的に退化させられた鬼達が、ムジカの血を飲むことで瞬《またた》く間に退化を免れ、元の知性ある人型の鬼の姿に戻りますが、その様子は、触れるだけで人々の病を癒したイエス・キリストの奇跡をどこか思い起こさせます。

また、『新約聖書』には病を癒してもらおうと何千人もの人々が集まって来た時に、イエスがわずかなパンと魚を何千人分にも増やすという奇跡を起こしたと記されています（マタイ15：32―39、マルコ8：1―10、ヨハネ6：1―15）。

ムジカの血が持つ癒しの力も、彼女の血をわずかでも飲んだ者全てに伝播《でんぱ》し、同じ体質の鬼を容易に増やすことができますが、その特性はわずかな食料を奇跡によって増大させ、多くの人々に行き渡らせるイエス・キリストの力を思わせます。

さらに、ムジカは自らの「血」を鬼達に分け与えますが、これはイエスの「わたしの肉を食べ、わたしの血を飲む者は、永遠の命を得、わたしはその人を終わりの日に復活させる」（ヨハネ6：54）という言葉や、最後の晩餐《ばんさん》において弟子達にパンと杯を渡し、「皆、この杯から飲みなさい。これは罪が赦《ゆる》されるように、多くの人のために流されるわたしの血、契約の血である」（マタイ26：27―28。ほかにマルコ14：23―24、ルカ22：20、コリント一11：25）と述べたことを連想させます。現在でもキリスト教の教会では礼拝の際、イエスの血に見立てたワインと、イエスの肉を象徴するパン（聖餅《せいべい》）が人々に配られ、これを口にすることでイエスとの結びつきを強める聖餐の儀式が行われています。

このように、自らの血を分け与えることで、多くの鬼達を癒し、その血の特性を伝染させるムジカの行いは、イエスの数多くの奇跡と似通っていると解釈することができるでしょう。まさに、イエスが人々から救世主と崇められたように、ムジカもまた、飢えや退化に苦しむ鬼達の救世主として登場するのです。

死と復活

多くの人々を病から救ったイエスですが、ユダヤ教の安息日に病人を癒したことなどが戒律に違反しているとして、当時ユダヤ教の中で力を持っていた厳格な律法遵守《じゅんしゅ》を唱えるファリサイ派の人々はイエスを批判し、殺そうと企みます（マタイ12：9－14、マルコ3：1－6、ルカ6：6－11）。イエスはこのファリサイ派の人々や律法学者達を、見せかけだけ戒律を遵守し、真の慈悲やまごころを持っていないとして、その偽善《ぎぜん》ぶりを批判します（マタイ23：1－36、マルコ12：38－40、ルカ11：37－52）。その結果、イエスはファリサイ派を中心としたユダヤ人達によって十字架に架けられ、処刑されてしまいます。また、ともにイエスの弟子であったヨハネの兄弟ヤコブも殺され（使徒12：1－2）、他の弟子達も迫害によって殉教《じゅんきょう》したと伝えられています。

イエスの処刑とその弟子達の死は、ムジカとその仲間達が人間を食べなくても知性や姿を保てる血を広めたため、農園制度によって人肉の供給を牛耳り、一般の鬼達を支配しようとともくろむ女王レグラヴァリマや貴族鬼から危険視され、異端の「邪血」と呼ばれ、捕らえられて皆殺しになった七〇〇年前の出来事を連想させます。イエスもムジカも社会にはびこる欺瞞《ぎまん》による犠牲者を救おうとした結果、既存の社会規範を乱す邪魔者と見なされ、迫害されたのだといえるのです。

しかし、イエスは十字架に架けられ処刑された後、三日目に墓から蘇《よみがえ》り、復活を果たします（マタイ28：1-10、マルコ16：1-8、ルカ24：1-12、ヨハネ20：1-10）。ムジカもまた、女王達による迫害の際に捕らえられ、死んだと記録されていました（一五巻一二七話）。しかし、実際にはムジカはソンジュと共に生き延び、七〇〇年にもおよぶ逃亡生活の果てに、ついにエマ達と共に王都に戻り、ノーマンがばら撒いた退化の毒から鬼達を救い、「私は我ら種族《おに》を変えるために生まれてきたんだ。そして今こそ鬼世界《せかい》は変わる時なのよ」（一八巻一五八話）と決意し、女王による欺瞞と搾取《さくしゅ》から民を解き放とうとするのです。

迫害による死からイエスが復活したように、死んだと思われていたムジカもまた、新しい世界を作るために復活を遂げるのです。

3

モーセと約束の地
～エマ～

モーセとエマ

ユダヤ教やキリスト教のモチーフと関連しているように思われるのは、ソンジュやムジカのような鬼達だけではありません。食用児である主人公のエマもまた、聖書に描かれた人物とつながりを持っていると考えられます。

孤児院だと思われていたGFハウスが、実は鬼のための食用児を育てる農園だと知ると、エマは子供達全員で脱出しようと主張します（一巻四話）。外の世界は鬼達の世界であると知っても諦《あきら》めることなく、「ないならつくろうよ、外に。人間の生きる場所。変えようよ、世界」（一巻四話）と言って、一見無謀に見える理想を掲げ、実際に五歳以上の一四人もの子供達を連れてGFハウスを脱出します。その後も途中で出会った多くの食用児達を連れ、エマは「人間の生きる場所」を求めて旅をします。そして、鬼の神ともいえる「あの方」と「約束」を交わし、食用児達を人間の世界に逃がすという契約を結ぶことで、鬼の世界からの完全な脱出を果たそうとします。

このようなエマの行動は、『旧約聖書』の「出エジプト記」に描かれるモーセを彷彿とさせます。「出エジプト記」では、エジプトに暮らしていたヘブライ人（古代のユダヤ人）達があまりに数が多くなったため、エジプトの王ファラオはヘブライ人を奴隷として強制労働をさせ、さらにヘブライ人の男児を殺害するよう命じます。モーセはヘブライ人として生まれますが、母親が彼を救うためナイル川の葦《あし》の茂みに隠したところ、ファラオの王女に発見され、ファラオの子として育てられます。

ヘブライ人でありながらファラオの子として育ったモーセは、やがてユダヤ教の神ヤハウェからヘブライ人をエジプトから連れ出すように命じられます。神の力によって様々な禍《わざわい》をエジプトにもたらした後、モーセは奴隷となっていたヘブライ人達を連れてエジプトを後にします。エジプト軍の追手が差し向けられた時に、モーセが紅海の水を二つに割り、ヘブライ人達は乾いた海底を歩いて逃げ、追ってきたエジプト軍は海水に飲まれて沈んでしまった話は特に有名です。その後、モーセはヘブライ人達を連れて荒れ地を旅して、神がヘブライ人達のために与えた「約束の地」を目指します。

鬼達に囚われ、食べられるためだけに育てられていた食用児達を農園から「脱出」させ、さらに鬼の世界からも連れ出して「約束」の地である人間の世界へ導こうとするエマは、奴隷として搾取されていたヘブライ人達をエジプトから「脱出」させ、「約束の地」へ導いたモーセのようだといえるかもしれません。

5巻37話より

5巻37話より　子供達を率いてＧＦハウスからの脱出を果たすエマ

契約と約束

『約束のネバーランド』のタイトルにもなっているように、この漫画において「約束」は重要な役割を持っていますが、「出エジプト記」においても（広い意味ではユダヤ教そのものにおいても）、「約束」あるいは契約は大きな意味を持っています。

モーセ達はエジプトから脱出した後、「約束の地」に向かうわけですが、その地は決して無条件に与えられるわけではありません。ユダヤ教の神はモーセを通じて、ヘブライ人達が守るべき一〇の戒律、すなわち「十戒」を石板に刻んで与えます。その時、神は次のように述べます。

「見よ、わたしは契約を結ぶ。わたしはあなたの民すべての前で驚くべき業を行う。それは全地のいかなる民にもいまだかつてなされたことのない業である。あなたと共にいる民は皆、主の業を見るであろう。わたしがあなたと共にあって行うことは恐るべきものである。わたしが、今日命じることを守りなさい。見よ、わたしはあなたの前から、アモリ人、カナン人、ヘト人、ペリジ人、ヒビ人、エブス人を追い出す。よく注意して、あなたがこれから入って行く土地の住民と契約を結ばないようにしなさい」（出エジプト記34：10–12）。

この言葉から分かるように、ヘブライ人と神との関係は「契約」であり、神が示した戒めを人間が守る限り、神はヘブライ人を危険から守り、約束の地へ導くということが分かります。逆に、十戒という神との「約束」を破った場合は神の怒りに触れ、死や破壊がもたらされるのです。

ユダヤ教と、その影響を受けて生まれたキリスト教において、神と人とは「契約／約束」によって結ばれているといえます。そのため、ユダヤ教の聖典は『旧約聖書』（Old Testament）と呼ばれ、神と人が交わした「古い契約／約束」を意味します。それに対し、イエス・キリストの行いを記した『新約聖書』（New Testament）は、神と人との「新しい契約／約束」と呼ばれるのです。

『約ネバ』においても、鬼と人間の間に結ばれた「約束」と、「あの方」との間に結ばれた「約束」はそれぞれに強い力を持ち、世界のあり方を定めています。一つ目の「約束」は鬼と人間の間に結ばれた平和協定のようなものであり、戦争を繰り返していた鬼と人間が、もう互いに殺し合うことはしない、という「約束」です。二つ目の「約束」は、鬼と人とが共に「あの方」と結んだものであり、この世界を鬼の世界と人間の世界の二つに分けるというものです。

この二つの「約束」は、一〇〇〇年前に交わされたものであり、いわば、「古い約束」だといえます。この「古い約束」がエマ達の自由を阻《はば》む障壁となるのですが、エマはこれらの「古い約束」を破るのではなく、「新しい約束」を「あの方」との間に結ぶことで、食用児達が人間の世界へ行けるようにするのです。

まさに、ユダヤ教の「古い約束」の後、キリストが「新しい約束」を神との間に結ぶことで、人々の罪を贖《あがな》い、救済に導くという、ユダヤ教からキリスト教へと移り変わる時代の流れを再現するかのように、エマは「古い約束」の上に、「新しい約束」を結び、食用児達を救おうとするのです。

そう考えると、原初信仰の「古い」戒律を守り、かつて鬼が人間を狩っていた「古い」世界の復活を求めるソンジュの思惑に対し、癒しの力を持つムジカが、エマに「新しい約束」を「あの方」と結ぶよう助言し、最終的には「新しい」鬼の社会を作ろうとするムジカの意志をソンジュが尊重するという展開もまた、『旧約聖書』に記されたユダヤ教の教えが、『新約聖書』のキリストの教えへと受け継がれ、変化したことを表すかのようです。

遥《はる》かなる約束の地

しかし、聖書の登場人物との類似性は、希望に満ちたものだけではありません。前述したように、エマとモーセは様々な点で類似性を持っていますが、これは彼女の未来に暗い影を落とすことにもなります。

エジプトから脱出した後、モーセはヘブライ人達を連れて荒野を放浪します。途中、何度も飢えや渇《かわ》きのためにヘブライ人達はくじけ、反乱を起こしそうになりますが、モーセは幾度も神に救いを求め、神はそのたびに岩から水を出し、マナと呼ばれるパンを天から降らせるなど奇跡を起こし、民を救います。

しかし、神はついに約束の地へ到達する直前、モーセに告げるのです。「(あなたは)わたしがイスラエルの人々に与える土地をはるかに望み見るが、そこに入ることはできない」(申命記32：52)と。それは岩から水を湧き出させて民に分け与える奇跡を起こすよう、神がモーセに命じた際、モーセが神の言葉を信じず、この奇跡が神の聖なる力によるもの

16巻143話より　「あの方」との間で「新しい約束」を結ぶエマだが……

であることを民に示さなかったことへの代償《だいしょう》でした。そして神の預言通り、モーセはネボ山に登り、そこからヘブライ人が住むことになる約束の地をその目で見渡すのですが、その地に入ることなく命を終えます。

もしもエマがモーセのような存在であるならば、彼女は食用児達を「新しい約束」によって人間の世界へと脱出させるものの、彼女は皆と一緒に行くことはできない、という結末が暗示されるのです。実際、一六巻一四三話で「あの方」と「新しい約束」を結ぶ際、エマは何らかの代償を払うことを要求されます。それがどんな代償であるのかはすぐには分かりませんが、その要求の内容を聞いたエマが「え」と絶句していることから、驚くべき代償であることは想像に難《かた》くありません。

果たして、エマは他の食用児と一緒に自由を手にすることができるのでしょうか。それともモーセのように約束の地へ民を導きながら、共にそこにたどり着くことはできない運命にあるのでしょうか。それは『約ネバ』の最終巻できっと明らかとなることでしょう。

コラム② ストーンヘンジは誰が作った？

一二巻一〇一話にて、エマ達は「あの方」と「新しい約束」と結ぶため、クヴィティダラと呼ばれる遺跡を訪れます。平原の上に巨大な石の柱が輪を描いて立ち並ぶ光景は、イギリスの南部ソールズベリー平原にそびえるストーンヘンジを思わせます。古代の鬼達の儀式の場だったと思われるこの不思議な遺跡と、ストーンヘンジには何か関係があるのでしょうか。

そもそもストーンヘンジと呼ばれる巨石群は、いつ誰が何のために作ったのか、現在でも謎に包まれています。しばしば、紀元前六世紀頃にヨーロッパから現在のイギリスであるブリテン島やアイルランドに移り住んだケルト人達の礼拝所という説が唱えられていますが、考古学的に見るとストーンヘンジは紀元前三〇〇〇年から二五〇〇年頃の物であるため、ケルト人が到来するより以前に先住民族が建造したと考えられます（文献32・七八頁）。

ケルト人達はストーンヘンジを始めとする石で築かれたストーンサークルを、古代の神々が住まう場所と考え、畏れたといわれています。特に、丘の上は超自然的な異界へつながる場所と考えられ、古アイルランド語であるゲール語で丘や塚《つか》を意味する「シー」という言葉は、その丘に住む神々を指す「塚の住人」という意味を持つようになります（文献32・九九頁、文献33・二八四〜二八六頁）。

ケルト人にとっての聖地であったアイルランドのタラの丘には、「運命の石」と呼ばれる石柱があり、これに王となるべき人間が触れると、石が叫び声を上げ、予言を語ったといわれます（文献34・二一〇頁）。ちょうど、エマがクヴィティダラの遺跡の石柱に触れたことで、「あの方」と言葉を交わし、ある種の預言を受けたことを想起させます。

ケルト人達は月の満ち欠けにもとづく太陰暦の一〇月三一日と一一月一日を、夏と冬の境目と見なし、「シー」達の異界と人間達の現世の境が薄まり、神々や死者の魂が丘の入り口を通って現世を訪れると考え、秋の収穫祭サムハインで祝いました。収穫物を供し、かがり火を焚《た》き、預言者達は翌年の収穫や戦争の宣託を告げたとされています（文献35・二一〇〜二一一頁）。これが現在も欧米に残るハロウィンの起源とされています。

12巻101話より　上空から見たクヴィティダラの遺跡

側面から見たストーンヘンジ（Getty Images）

上空から見たストーンヘンジ（Getty Images）

『約ネバ』の鬼達も一一月一〇日に「儀祭」（ティファリ）を行い、その年に収穫された一番良い食用児を「あの方」に捧げます（一七巻一四六話）。いわば、「儀祭」はケルト人のサムハインと同様、一年の実りを神に感謝する収穫祭だといえます。

長くケルトの人々の信仰の対象となっていた神々「シー」ですが、紀元五世紀頃、ローマ人によってキリスト教が伝来すると、悪魔や妖精といった存在に置き換えられていきます。かつては神と恐れられた存在が、今や小さな妖精や悪魔と見なされ、不思議な力を宿していたストーンヘンジや石柱が、既にその真の姿を記憶する人もなく、丘にたたずんでいる様子は、鬼達の原初信仰が「約束」によって廃れ、かつて多くの鬼達が訪れた予言の場所であったクヴィティダラも廃墟《はいきょ》となってしまった『約ネバ』の世界を思わせます。

食べた物の形質を取り入れ、多様な姿をとる鬼達について、ノーマンは「人間は〝彼ら〟を畏れ、鬼、怪物、悪魔、神、様々な名で呼んだ」（一四巻一二〇話）と言いますが、それはケルト人達が崇めた古代の神々「シー」が、悪魔や妖精といった様々な名で呼ばれたことを連想させます。

人間《にんげん》は
“彼《かれ》ら”の
最大《さいだい》の
好物《こうぶつ》となり
“彼《かれ》ら”は
みるみる
人間《ヒト》を超《こ》え
人間《にんげん》の天敵《てんてき》
となった
驚異的《きょういてき》な速度《そくど》で
進化《しんか》・変容《へんよう》を
遂《と》げていく
圧倒的存在《あっとうてきそんざい》
人間《にんげん》は
“彼《かれ》ら”を
畏《おそ》れ
鬼《おに》
怪物《かいぶつ》
悪魔《あくま》
神《かみ》
様々《さまざま》な名《な》で呼《よ》んだ

14巻120話より

クヴィティダラの遺跡がイギリスのストーンヘンジそのものと断定することはできませんが、ケルト人が丘の上の石柱を介して「シー」を崇めたように、『約ネバ』の鬼達もクヴィティダラの遺跡で「あの方」の預言を受けたと考えると、我々の住むこの現実の世界と、『約ネバ』の世界という異界との境が、わずかに融《と》け合うようにすら思えます。

第3章

ジェンダー（男らしさ／女らしさ）

『週刊少年ジャンプ』に連載された『約ネバ』の主人公が、エマという女の子であることは、「少年漫画」というジャンルにおいて大変珍しいことであり、これもまた『約ネバ』が「ジャンプらしくない」と評された理由の一つかもしれません。

しかし、女の子でありながら、エマのキャラクターはいわゆる「女の子らしい」ヒロインとは違い、かといって完全に「男の子らしい」キャラクターともいえません。原作の白井カイウ先生が「天真爛漫《らんまん》な少年のような女の子」（文献36・五七頁）と述べているように、エマは少年と少女の両方の要素を併《あわ》せ持《も》つ人物として描かれています。

エマだけでなく、ママ・イザベラやノーマンなど、他のキャラクターにおいても、いわゆる身体的な性別（Sex）とは別に、「女らしさ」や「男らしさ」といった社会的に作り上げられた、人々の意識の中にある性差である「ジェンダー」（Gender）の存在は重要な意味を持っています。

文学批評において、これまで第1章や第2章で取り上げたような、他の文学作品との影響関係や文化との関連、宗教の位置づけなどは欠くことのできない要素ですが、物語内での男女観は、その作品が書かれた時代の価値観を如実に反映し、時には物語全体の意味付けに関わる重大要素であるといえます。

実際、『約ネバ』におけるジェンダーは、単にキャラクターのユニークさを際立たせるだけでなく、登場人物の語られざる内面や置かれた状況を映し出し、物語の構造を支え、この漫画に「文学」と呼ぶに足る深みを与えているように感じるのです。

それでは、『約ネバ』の始まりから終わりまでを、ジェンダーという視点から俯瞰《ふかん》してみましょう。

1 女らしさの神話と男の世界

危険な「外」と安全な「家」

『約ネバ』一巻から五巻の脱獄編全体に漂うイメージは、「家庭」であるといえます。エマの「大好きなママ、大好きなみんな。血の繋《つな》がりはなくても、大切な家族。施設《ハウス》は私の〝家〟だった」(一巻一話)という言葉が示す通り、「ハウス」(家)と呼ばれる孤児院で「ママ」と呼ばれる女性、イザベラの献身的な世話によって子供達が幸福な「兄弟、姉妹」として育てられる様子は、ここが単なる施設ではなく、親と子供が共に暮らす「家庭」であることを示しています。

疑似的な「家庭」であるGFハウスの特徴は、その「幸福な」閉鎖性にあります。子供達はGFハウスの中で勉強し、遊び、日々を過ごしていますが、ハウスとその周辺の森の一定の範囲内でしか行動することは許されていません。しかし、そのことを子供達が不満に思っている様子はありません。行ってはいけないと規則で定められた外へ通じる「門」にこっそり行った際も、ノーマンは「一体何から僕《ぼく》らを守っているんだろう」とつぶやき、エマは「この先は外の世界。なぜだろう。『外』はどこか不気味」（一巻一話）と考え、外の世界へ関心を持つ一方で、GFハウスの外の世界を「危険」で「不気味」なものとして認識しています。

高い壁と堅固な門によって恐ろしい「外」の世界から守ってくれる安全で幸福な「家」、そして、その家と家族を守る優しい「ママ」。この図式は私達が暮らす現実世界における家庭と社会の関係を映し出しています。

家族のあり方が多様化した二一世紀の現在においても、父親がストレスや危険の多い「外」で働き、母親が安全で幸福な「家」を守るため、家事と育児を引き受けるという家族観は依然として存在し続けています。

この「父親＝外の世界」「母親、子供＝内（家）の世界」という価値観は、日本を含め、世界中に存在する伝統的家族観だといえますが、特にそれが「理想の家族像」として認知

「いい？
門《もん》と森《もり》の奥《おく》の柵《さく》へは…」
「危《あぶ》ないから近寄《ちかよ》ってはだめよ」……か
あんなの嘘《うそ》に決《き》まってるだろ
ムー
そうかな
ちぇっ大《たい》して面白《おもしろ》くもなかった
バレない内《うち》にさっさと戻《もど》ろうぜ
この先《さき》は外《そと》の世界《せかい》
ザザァッ
なぜだろう
「外《そと》」はどこか不気味《ぶきみ》

1巻1話より

されるようになったきっかけを作り出したのは、一九五〇年代のアメリカの家族像であったといわれています。

一九五〇年代のアメリカでは、第二次世界大戦の勝利による好景気と大量消費社会を背景に、「男性が仕事に専念し、給料を稼ぎ、郊外に家を買い、家の中を家電や家庭用品で埋め尽くし、自動車を買う。女性は家事・育児専門の専業主婦となり、アメリカの最新技術の粋を集めた製品に囲まれて平和で幸福な家庭を築き、夫の出世を支え、子供がより高い教育を受けられるように世話をする」（文献37・八七四頁）という、核家族《かくかぞく》からなる近代的家族像が広まります。

このような家族像は一九五〇年代から七〇年代初めにわたって放送された『パパは何でも知っている』(*Father Knows Best*, 1954-1960)、『うちのママは世界一』(*The Donna Reed Show*, 1958-1966)、『奥さまは魔女』(*Bewitched*, 1964-1972) などの人気テレビドラマによって世界に普及し、その裕福で幸福なアメリカ的生活スタイルとともに、「理想の家族」のイメージとして日本でも定着し、やがて「普通の家族」の基準になったともいえます。

『約ネバ』で描かれる「外」の世界の喧騒《けんそう》から切り離された豊かな自然の中で子供達が元

気よく遊び、優しく賢い「ママ」が専業主婦のようにつきっきりで彼らの世話をするというGFハウスは、まさに近代的な「理想の家族」像そのものであるといえます。

GFハウスには父親という存在が欠けているように見えるかもしれませんが、そもそも近代的家族において父親は「外」で働き、家族のために生活費を稼ぐことが主要な役割であるため、父親が不在であってもそれほど不自然ではないともいえます。

一見すれば、幸福で安全に見えるGFハウスですが、『約ネバ』の世界では、子供達はいつまでもこの幸福な「家」で暮らすことはできず、六歳から一二歳で里子《さとご》に出され、「外」の世界に出て行く決まりとなっています。そして、「外」は「鬼」が支配する世界であり、人間は食料として食べられる定めにあるのです。

この一二歳という年齢は、鬼が好んで食べる人間の脳が、完全に成長しきる時期であるため、と一巻三話で語られていますが、同時に、二次性徴を迎える時期でもあり、子供から大人へと変化する過渡期であるとも解釈できます。

すなわち、作中で子供達がGFハウスで過ごす一二歳までという時間制限は、子供が大人へと成長するまでの期限と等しいのです。実際、一巻一話の冒頭で子供達が寝室で目を覚ます場面では、年齢に関係なく男女一緒に寝起きしている様子が描かれ、男女という性的な区別が明確になる前の「子供」であることが示唆《しさ》されます。男女の身体的な区別が少ない一二歳までという限られた無垢の時代を、子供達は安全で閉ざされた「家庭」で過ごすのです。

ママと「女らしさの神話」

この安全な「家庭」がまやかしであることにエマ達は気づき、鬼の食料として出荷される前にGFハウスを脱出しようとします。しかし、エマ達の前に立ちはだかる最初の敵は、彼女らを守り、育ててきた「ママ」にほかなりません。

ママ、ことイザベラの言動は、前述した近代的家族像における「母親」の光と影を映し出しています。郊外の住宅に暮らす専業主婦がそうであったように、彼女はたった一人でGFハウスの切り盛りをし、赤ん坊や子供達の世話をします。

エマ達の脱出を阻止するために周到に立ち回り、彼女らの企てを見抜くイザベラは、ある種GFハウスを支配しているように見えますが、それは孤独な支配でもあります。さながら、夫が仕事に出かけている間、買い物から炊事、洗濯《せんたく》、子育てまでを全て一人でこなさなくてはならない主婦のように（もっとも、掃除、洗濯は子供達が自分で行っており、食事は全て本部から運ばれるレトルトを温めるだけらしいので、多少は負担も軽いかもしれませんが）（三巻二六頁、一五六頁）。

GFハウスに付与された「家庭」というイメージを強化する呼び名として、イザベラの上司に当たる年配の女性は「グランマ」（祖母）と呼ばれ、ママの見習い、補佐役は「シスター」（姉妹）と呼ばれます。まさに、様々な「女」達の手によって、ハウス（家）は管理され、守られているのです。

ここで重要になるのは、イザベラの補佐としてGFハウスに派遣されたシスター・クローネが、血眼《ちまなこ》になって追い求める「ママ」という立場の重要性です。『約ネバ』の世界では人間の女性が一二歳を超えて生き延びる唯一の方法は、「シスター」となり、そして「ママ」になることだと語られます。

シスターになるためには、まず肉体的にも頭脳的にもずば抜けて有能であることが認められ、ママから推薦《すいせん》を受ける必要があります。その後、特別な訓練施設で他のシスター達との熾烈《しれつ》な競争を勝ち抜き、そして人工授精によって子供を産んだ者だけが「ママ」の資格を得るのです。ママになれなかったシスター達の末路は食用児と同様、鬼の食料となることであり、このハウス（家）を中心とした小さな世界で女性が生き延びるすべは、「ママ」になるほかないのです。

女性が生きていくためには「母親」になるしかない。この偏狭《へんきょう》な人生観は、『約ネバ』という漫画の中だけの架空の価値観であると言い切ることはできません。生き方の多様性が増した現在においても、女性＝母親、男性＝父親というイメージは伝統的なジェンダー観として人々の価値観に深く根付いており、それゆえに「結婚する自由」や「子供を産まない自由」などの議論が活発に行われるのだといえます。

前述したように、ジェンダーとは社会的に構築された「男／女らしさ」あるいは、「男／女の役割」という価値観のことを指しますが、作中でのシスター・クローネの「ママ」になることへの執着の強さは、まさに女の役割は母親になることであり、そうなれない女性には生きる価値がないと教え込まれた女性の焦りと重なります。

イザベラもまた、ママになることだけがこの世界で唯一選ぶことができる道なのだとエマに説きます。

「かわいそうに。絶望の極みね。脱獄はもう絶対に叶わない。諦めてしまいなさい。絶望に苦しまずに済む一番の方法は、諦めることよ」「私はね、エマ。もしあなたが望めばあなたをこの農園の飼育監《ママ》候補に推薦しようと思っているの」「大人になって、子供を産んで、能力が認められれば、飼育監《ママ》や補佐《シスター》としてまたこのお家《ハウス》に戻って来られるの」「生きて飼育監《ママ》を目指しなさい、エマ。絶望を受け入れて楽になるのよ。無茶な理想論、幼稚な正義感、不可能な脱獄、どうにもならない現実への抵抗。飼育監《ママ》になって全て諦めてしまいなさい。楽になりなさい、エマ」（四巻三一話）

GFハウスからの脱出を阻止され、絶望するエマのもとを訪れたイザベラの語るこの言葉は、イザベラ自身がかつて感じたであろう「絶望」と「諦め」を語っているかのようです。後に明かされる回想シーンで、イザベラもまた子供の時にエマ達同様、ハウスからの脱出を試み、しかし当時のママ（現在のグランマ?）に発見され、「絶望」と「諦め」を経

4巻31話より

4巻31話より

てママになる道を選んだのだと推測できます（五巻三七話）。競争を勝ち残り、ママとなったイザベラにとっても、この生き方が自分の望んだ理想の未来でないことは明らかです。

しかし、イザベラは「世界は変わらない。私が死んで何になる？　ならば私にできることを。誰よりも深い愛情を。一年でも長い命を。何も知らないこの子達に」（五巻三七話）と考えます。どれほど社会のあり方に絶望し、疑問を持っても、それを変えることはできないと諦め、イザベラはそれを受け入れて生きることを選びます。

イザベラの諦めは、現実の社会において、たとえ本心から望んだ道でなくとも、女性は結婚し、子供を産み、母親になることだけが唯一生きる道だと教えられ、同じ価値観を娘に教えることで、固定化されたジェンダー観を再生産する女性の姿を映し出すようです。

もちろん、結婚し、子供を持つことの意義や幸福が否定されるべきではありませんが、結婚して「郊外の主婦」となり、夫や子供を支える存在になることだけが、女性のあるべき姿と見なされれば、女性達は人生の閉塞感《へいそくかん》と空虚さに苦しむことになるでしょう。

実際、一九六〇年代にアメリカでのフェミニズム運動を牽引《けんいん》したベティ・フリーダンは、『新しい女性の創造』（*The Feminine Mystique*, 1963）において、一九五〇年代の郊外の主婦達の憂鬱を浮き彫りにします。ある主婦は次のように語ります。

「私は女の仕事といわれることはなんでもやりました。家事も社交もＰＴＡの会合の世話も。私はなんでもやれますし、こうしたことは好きなのです。私は職業をもとうと考えたことはありません。私は結婚して四人の子供の母親になりたかったのです。私はこれという悩みをもったこともありません。でも私は絶望しているのです」（文献38・一六頁）

ここで問題となるのは、郊外の主婦達の抱えた悩みが当時のアメリカで広く浸透していた女性の役割のイメージ、すなわち「女らしさの神話」にもとづく「名前のない問題」であるという点です。専業主婦として家事や育児に専念することが、女性の唯一の幸福とされた社会において、その生活に何らかの不満を感じたとしても、一体何が問題なのか名付けようがなく、それゆえに社会の仕組みに対し抗《あらが》うこともできないのです。

女性＝母親という以外に、女性の生き方の選択肢《せんたくし》が一切提示されない、「女らしさの神話」に支配された社会は、『約ネバ』の世界においても、現実においても、抗う余地のない世界の仕組みとして息詰まるような閉塞感を生み出し、ママ・イザベラのように母親となって生き延びる勝者と、シスター・クローネのようにママになれず打ち負かされる敗者とを生み出してしまいます。

生き方が極端に制限された『約ネバ』の社会の歪《いびつ》な仕組みは、子供達にも影響を与えています。GFハウスで暮らす少女コニーが、「大人になったらママみたいな〝お母さん〟になりたいんだ」（一巻一話）と述べているように、女の子達はイザベラが体現する女性＝母親のイメージを疑問なく受け入れ、自分も将来同じような道を進むことを夢見ています。

また、他の子供達が外の世界に行ったら何がしたいかと話し合う場面で、エマは「キリンにのりたい」、ギルダは「色んな服を着たい」、フィルは「汽車見たい」という程度のイメージしか持ち合わせておらず、将来こんな仕事がしたい、こんな大人になりたいという具体的なヴィジョンは乏しいといえます（一巻一話）。

これは、ハウスの子供達に与えられる外界の情報が制限されているためですが、子供達の周囲にモデルとなる大人がママしかいないため、他の人生モデルを思い描くことができないのだともいえます。

結局、ママみたいなお母さんになりたい、と言っていたコニーは勉強の成績が低かったため、優秀な脳の持ち主ではないと判断され、六歳で「出荷」されてしまいます。ママによって示されたジェンダー観を素直に受け入れたとしても、ママになる資格がないと見なされれば生きる道がないのです。「女性＝母親」という一つの生き方しか提示しない社会では、子供達の可能性は限りなく狭められてしまいます。

エマ達を捕らえている最初の檻《おり》は、森の中の柵《さく》や巨大な壁という物理的な障壁だけでなく、何よりもママが体現する「女らしさの神話」によって、気づかないうちに未来の可能性を制限され、生き方を操作されるという、「名前のない支配」であるといえるのです。

鬼と「男の世界」

コニーの死を目の当たりにしたことで、GFハウスの秘密に気づいたエマ達は、ママ・イザベラとの頭脳戦の末、ママ、シスター、グランマという「女」達が支配するハウスを脱出します。しかし、「外」の世界でエマ達を待ち受けるのは、さらに強力で恐ろしい「男」達の世界です。

ハウスを管理している農園の鬼達を始めとし、脱出した子供達を探す追手の鬼、森の野良鬼、そして猟場《かりにわ》の鬼達と出会いますが、そのほとんどが男性の鬼達です。驚くべきことに、『約ネバ』全二〇巻のうち、約二分の一にあたる一巻から一一巻までの間で、女性の鬼として明確に示されるのはムジカとノウマの二人だけなのです。さらにいうならば、人間の世界と鬼の世界の門番であるジェイムズ・ラートリーもピーター・ラートリーも、その部下達も男性であり、ハウスの外で食用児以外に人間の女性が登場することはありません。

この不自然ともいえる男女比の偏りは、「女性＝母親」「男性＝仕事」といった古典的なジェンダー観を前提とした『約ネバ』の世界において、ハウスが「女性」が管理する子供のための安全な「内側」の場所である一方、「外」の世界は「男性」によって支配された社会であることを読者に印象付けます。

子供達を追いかけ、捕らえ、そして食べようとする鬼達は、基本的に筋骨隆々とした巨大な肉体を持つか、猟場の貴族鬼達のように優れた戦闘能力を持った恐るべき強者として描かれており、子供や女性にとって脅威となるような、肉体的に強靭《きょうじん》で暴力的な男性像を反映しているといえます。

特に、貴族鬼達の猟場において、怯《おび》える子供を追い詰めて楽しむルーチェや、反乱を企

8巻66話より　貴族鬼ルーチェと部下達

てる子供達に対し、「いじらしい」（九巻七七話）と不気味な笑みを浮かべるバイヨン卿、命がけの戦いの興奮をもたらしてくれるエマを標的と定め、執拗に追うレウウィス大公、「脂肪多め、筋肉少なめ」「それか色白栗毛の14〜15歳」（八巻六六話）と、味に関係することだけでなく、容姿に関する好みにも言及するノウス、ノウマ兄妹ら貴族鬼達は、人間の子供を単なる食べ物以上の欲望の対象と見なしているようにも見えます。

　五人の貴族鬼達の中でも、レウウィス大公の存在は興味深いものです。自分と対等に渡り合える強い人間との戦いを求

9巻77話より　バイヨン卿（先代）

めるレウウィスは、あえて無力な子供を殺すことでエマを挑発《ちょうはつ》し（八巻六八話）、食用児による反乱を企てたリーダー格の青年ルーカスに、鬼の弱点は目の奥の核であることをわざと教えます（一〇巻八三話）。

レウウィスの行為はある意味、子供達を教え、鍛える行為でもあり、「危険、極限、絶望の中でこそ、人間は悩み考え立ち上がり、進化する」「いくつもの種を蒔《ま》いた。だが、どの種も容易には芽吹かない」（一一巻九〇話）と、子供達の成長に期待をかけ、それが満たされない現状に悩む様子は、奇妙な形ではあるものの、父親や教師のようにも見えてきます。

また、一一巻九二〜九三話のレウウィスとの決戦において、エマがレウウィスの鋭い爪に腹部を刺されてしまうことは、文学的な解釈の伝統に倣《なら》うならば、かなり意味深な解釈が可能です（一部読者の方から怒られてしまいそうですが……）。

剣や槍《やり》、銃や針といった体を貫く武器や道具はしばしば男性の象徴と見なされ、そのような武器で「貫かれる」ことは、性との遭遇やその危険性の暗喩《あんゆ》と解釈されてきました。例えばシャルル・ペローの童話「眠り姫」では、姫は一五歳の時に糸つむぎの針で指を突き刺し、一〇〇年の眠りにつきます。これは少女が子供から大人へと成長する過程で訪れる月経や性行為を暗示していると読むことができます（文献39・三〇三〜三〇四頁）。

まさに、エマを執拗に追いかける男性である鬼のレウウィスの「長く鋭い爪」によって、背後から子宮がある「腹部」を貫かれるエマは、象徴的な意味において男性の欲望の脅威にさらされたと見なすことができるのです（もちろん、単にエマが命に関わる傷を負うことで、物語が盛り上がるというプロット上の演出に過ぎない、と考えることもできますが、傷つき倒れ伏したエマの背中に、宿敵であるレウウィスが触れ、「ありがとう」と言う場面は、レウウィスがエマに対し、単なる獲物以上の親密さを感じていたことを表しているのは間違いないでしょう）。

11巻92話より

このように、貴族鬼達の倒錯した欲望の対象となる食用児達の状況は、まるで「母親」によって管理され、不自由だが安全に守られた家庭で暮らしていた無垢な子供が、やがて大人へと成長するため「外」の世界へと飛び出し、その結果、「男」達による暴力や欲望の対象となり、翻弄されるという、子供から大人への成長の過程を象徴するかのようです。

　伝統的なジェンダーに沿った物語であれば、眠り姫は性との接触によって一時的な昏睡《こんすい》状態に陥《おちい》り、

やがて彼女をその眠りから覚ます王子と結婚し、女性＝母親という古典的な価値観に順応することで、大人へと成長します。

　もしも『約ネバ』が旧来のジェンダー観にもとづいて描かれていたならば、レウウィスによって傷つけられ意識を失ったエマは、男性キャラクターによって救われ、その男性と結ばれる、というお決まりの流れに落ち着いたかもしれません。

　しかし、エマは自らの力で意識を取り戻し、レウウィスを倒す決定打となる閃光弾を撃ちます。「女性＝母親、弱者、守られるべき者」といった古典的なジェンダーをはねのけ、自らの力で男性の脅威に立ち向かい、仲間と共に打ち倒すエマの「強さ」は、その後の物語において、大きな意味を持ち始めます。

2

「ジェンダー」からの解放

エマはなぜ「少年」ではなく「少女」なのか

これまで見てきたように、エマ達食用児達は「内」なる世界であるハウス（家庭）を支配していた「女性」であるママを出し抜いて脱出を果たし、「外」の世界を牛耳る「男性」の暴力や欲望にも飲み込まれることなく、自分達の新たな自由を勝ち取っていきます。

大人、あるいは鬼という絶対的な力を持った敵に対して、なぜエマ達は対等に戦うことができたのでしょう。その理由の中には、単に知能が高い、あるいは戦闘力があるといった要素だけでなく、伝統的なジェンダーからの解放という、思考における自由が重要な位置を占めています。

主人公であるエマはそもそも、いわゆる伝統的な女性のジェンダー観から外れたキャラクターとして設定されています。『約ネバ』の原作担当の白井カイウ先生は、エマのキャラクターデザインのコンセプトは既に触れたように「天真爛漫な少年のような女の子」「おとこおんなでは無いけれど、読者が恋する対象ではない」と述べ、作画担当の出水ぽすか先生も「活発でちょっと中性的な感じ」と語っています(文献36・五七頁)。

実際、くるりと飛び跳ねるような毛先が印象的なエマのショートカットのヘアスタイルは、彼女の持つ少年のような活発さを表します。また、「中でも断トツの頭脳を持つ天才ノーマン、その天才と唯一五角に渡り合える博識で知恵者のレイ。抜群の運動神経と驚異的学習能力で常に他2人に追随するエマ」(一巻一話)という説明から分かるように、エマはノーマンとレイという二人の少年達と比べると、頭脳の点ではやや劣るものの、体力や筋力、運動神経などの身体的能力は、二人の少年より勝るキャラクターとして描かれます。そして、猟場で人間狩りをする鬼達に遭遇しても、怯えることなく戦うことのできる勇敢さも持ち合わせています。

エマの持つ活発さや運動神経、頭脳や勇気は、少年漫画では通常「少年」の特性として描かれるものであり、従来の多くの少年漫画に見られた「少年に守られる少女」や「肉体派の少年をサポートする頭脳派の少女」といったイメージとは一線を画した存在であることは間違いありません。

また、ステレオタイプからの逸脱という意味では、エマは「読者が恋する対象ではない」という白井先生の言葉は印象的です。読者が恋する対象ではない、という言葉は、極端にいえばセックス・シンボルにはならない、という意味ではないかと解釈することができます。少年漫画において、女性キャラクターは多かれ少なかれセクシーであったり、美少女であったり、かわいらしい存在として描かれることで、少年漫画の主要な対象読者である男性が「恋する対象」として設定されることが多いといえます。

もちろん、エマは女の子として十分に魅力的でかわいいのですが、彼女のかわいらしさは「性」というものを感じさせない、子供らしい無邪気さに起因しているといえます。作画の出水先生が「中性的」と述べているように、エマのキャラクターからは「恋する対象」としての性的な気配があえて排除されているといえます。

ここまでエマの特徴を見てみると、ふと、ある疑問が浮かんできます。なぜエマはここまで徹底して「中性的な」少女として描かれているのだろう。賢く、活発で、勇敢な主人公を描くなら、なぜ少年が主人公では駄目《だめ》だったのだろう。

この点について、担当編集者の杉田卓《すぐる》氏が指摘したところ、原作の白井先生から「頑なに抵抗にあった記憶も」し述べていることからも（文献40）、エマは偶然少女として描かれたのではなく、『約ネバ』という物語を成立させるために、少女でなければならなかったのだと推測できます。

結論からいえば、少年漫画において無意識に根付いていた「女らしさ」や「男らしさ」というジェンダーの「常識」を破壊する存在であるからこそ、エマは解決不可能に思える困難な状況を「常識」に囚われない方法で打破することができるのだと考えられます。

例えば、一巻四話では少人数でGFハウスを脱出しようと現実的な提案をするレイに対し、エマは子供達全員で脱出することを主張します。さらに、四巻三一話において、ハウスからの脱出は諦めてママになることを受け入れ楽になれ、と言うイザベラに対し、エマはそれだけはできないと言って拒絶します。

レイの少人数による脱出も、イザベラの諦めも、いずれも困難な状況の中で生き延びるための「常識的」な最善の選択だといえるでしょう。しかし、エマはその「常識」を超えた理想を掲げ、最終的には五歳以上の一五人もの子供達でGFハウスから脱出します。

エマの思考の特異性は一四巻一二一〜一二二話において、鬼を絶滅させようとするノーマンに対し、多くの食用児達が同意した一方、エマだけが人間の敵であるはずの鬼もまた家族や愛情を持ち、人間同様に生きていると考え、鬼を絶滅させずにすむ方法はないか、と考えた点にも表れています。

ここでも、ノーマンの語る実現可能な作戦と比べ、エマの理想は「常識」を超えています。しかし、「あの方」と対面し、食用児達を人間世界に送るという「約束」を取り付けるためには、まさにその「常識」を超えた思考を持つことが必要となります。「あの方」に会うためには「七つの壁」と呼ばれる何かを超える必要があるのですが、理知的な思考のレイはその「壁」を超えることができず、エマだけが「あの方」のもとにたどり着きます（一六巻一四〇話）。

「つまりはきみがおもっているよりむずかしいんだよ。じぶんを、せかいをときはなつのは」（一六巻一四〇話）という「あの方」の言葉が示すように、物理や数学的な「常識」に囚われないからこそ、エマは「七つの壁」を超え、「あの方」と「約束」を結ぶことができたのです。

社会的に構築された男女観である「ジェンダー」を、ある種の「常識」であると考えるなら、ジェンダーから解放された存在であるからこそ、エマは不可能を可能にするために必要な柔軟《じゅうなん》な思考力を持てるのだといえるのです。もしもエマが伝統的なジェンダーに則《のっと》り、勇敢で運動神経抜群の少年として描かれていたなら、あるいはいかにも女の子らしい少女として描かれていたなら、革新的な思考力を持つキャラクターとしては説得力を欠いたものになった可能性が高いといえるでしょう。

世界のあり方を変える革命の物語である『約ネバ』において、主人公エマが「中性的な」「少年のような女の子」であることは、偶然ではなく、必然だったのかもしれません。

子供達の「ジェンダー」からの脱獄

ここからは、エマと共にGFハウスを脱出した子供達のジェンダーについて見ていきましょう。GFハウスで生活をしている間、子供達のジェンダーは伝統的な価値観に従い、規定されています。子供達は皆、制服として支給された同じデザインの白い服を着ていますが、その服は男女が明確に区別され、女の子はスカートを、男の子はズボンをはいています。激しく動き回る鬼ごっこをする時も、女の子がズボンをはくことはありません。

しかし、ついにGFハウスを脱出する夜、子供達は男女問わず、ズボンを身に着けています（四巻三三話）。深夜であるため、パジャマのズボンをそのままはいているのだと考えられますが、森を駆け抜け、断崖《だんがい》を飛び越えなくてはならないため、スカートよりズボンの方が合理的であることは明らかです。

さらに、これまでママの管理のもと身に着けていた男女別々の制服ではなく、男女の区別のない服装でGFハウスを逃げ出すさまは、どこか母親が規定する古典的なジェンダーの枠《わく》から飛び出して行くようにも見えます（実際、GFハウスからの脱走以降、エマがスカートを着用している場面は描かれません）。

GFハウスから脱出した後、農園からの追手に追われる子供達は、ソンジュとムジカという「人間を食べない鬼」によって救われ、森の中でしばし生活を共にします。森での生活において、エマ達は伝統的なジェンダー観と異なる行動を取ります。

例えば、六巻四九話では子供達の森での生活模様が描かれますが、食事を作る役割は女

1巻1話より　エマはスカートをはいている

5巻37話より　子供達は性別を問わずズボンをはいている

6巻49話より

性の仕事とされることが多い中、皆のために美味しい料理を作ることができるのは少年であるレイです。

　一方、狩りは伝統的に男性の役割と見なされてきましたが、弓矢を最も上手《うま》く扱えるのは少女であるエマであり、ソンジュに狩りを習いに行くのも彼女です。

　さらに子供達は森で生きるすべをソンジュとムジカから教わりますが、その際、料理の仕方や食料の見分け方、薬草の扱いなどを男女関係なく習い覚えている様子が描かれます。

　このように、ＧＦハウスを脱出した

6巻49話より

子供達は「男＝狩猟」「女＝料理」といった古いジェンダーに囚われず、それぞれの能力に合ったやり方で狩猟、採取、料理などを行います。

　エマ達は単に物理的なハウスから脱出しただけでなく、「家庭」という小さく閉ざされた世界の中で教え込まれ、連綿と受け継がれた古いジェンダー観に縛られた生き方や思考からも脱出したといえるのです。[*13]

その後、六巻四七話でエマ達はソンジュから、この世界が鬼世界と人間の世界の二つに分断されており、「人間《あっち》の世界には渡れない。道は完全に閉ざされている。『二度と行き来はできない』。それも取り決めで定められた一つだ。だから——」と指摘されますが、エマは「大丈夫。見つけるから」と自信を持って言います。

現在の社会の仕組みに対し、「それが決まりだから」「どうしようもないから」と諦めることなく、新しい道を自ら作り出そうとするエマ達の姿勢は、日々の生活における固定されたジェンダーを変化させたように、旧弊《きゅうへい》な社会を改革しようとする新しい世代の力を象徴しているといえるでしょう。

3

男らしさの神話

エマが少年のようなたくましさを持つ少女であるのとは対照的に、GFハウスでのノーマンは天才的な頭脳を持ちながらも、肉体的にはひ弱な少年として描かれます。しかし、一四巻一一八話で再登場したノーマンは、驚くほど立派な体格の「男らしい」青年として描かれます。

なぜ、ノーマンはこんなにも「男らしく」成長したのでしょう。その理由について考察すると、彼が単なる優等生的なひ弱な少年という平板《フラット》なキャラクターではなく、直接語られることのない抑圧と影を抱えた立体的《ラウンド》な人物であることがしだいに明らかになります。さらにいうならば、ノーマンの変貌は彼が囚われた「男らしさの神話」を浮き彫りにするとともに、エマ達と分岐した彼の運命の過酷さを物語るのです。

エマ
No.《ナンバー》63194
年齢《ねんれい》／11歳《さい》
身長《しんちょう》／145cm《センチメートル》
レイ
No.《ナンバー》81194
年齢《ねんれい》／11歳《さい》
身長《しんちょう》／150cm《センチメートル》
ノーマン
No.《ナンバー》22194
年齢《ねんれい》／11歳《さい》
身長《しんちょう》／145cm《センチメートル》

1巻より

14巻121話より

「王子様じゃなくて馬です」

ＧＦハウスでのノーマンの設定について、原作の白井先生は「王子様じゃなくて馬です」「天使っぽく、かつ儚《はかな》く」「もうちょっと、もやしっぽく！」と作画の出水先生に依頼したと語っています（文献36・五八頁）。さらに初期デザイン画や番外編では瓶《びん》の蓋《ふた》が開けられない（一巻一三〇頁）、風邪で寝込む（二巻番外編1）といった肉体的な虚弱さが強調されるノーマンは、「少年のような少女」であるエマと対比される「男らしくない少年」として設定されているといえます。しかしＧＦハウスにおいて、伝統的な「男らしさ」からはみ出した少年であることは、ノーマンの弱点ではなく、強みでもあります。

エマという少女を守り、導く王子様ではなく、むしろ皆を守ろうとする「王子様」のようなエマを、陰ながらサポートする「馬」のような立場を取るノーマンは、従来の「男性＝強くたくましい王子様」「女性＝か弱く守られる対象のお姫様」というジェンダー・イメージを覆す存在だったといえるでしょう。

正反対の特性を持ちながら陰と陽のように補完し合うエマとノーマンは、ＧＦハウス脱走の計画を立てる際に見事な連携を取ります。エマの突飛にも見える理想に対し、ノーマンが緻密な作戦を立てることで、最終的に子供達を脱出させることができるのです。ジェンダーを始めとする既存の価値観に囚われないことで、エマもノーマンも不可能を可能にすることができたのではないでしょうか。

ノーマンの「男らしさ」

それでは、ノーマンはまったく「男らしくない」キャラクターなのでしょうか。答えはもちろんノーです。「男らしさ」は様々に定義できますが、「精神的にも肉体的にも強くてタフな奴、野心的で攻撃的でそれでいてクールな奴」（文献41・五七頁）というステレオタイプは、ある程度一般的に共有されたイメージだといえます。

ノーマンは肉体的にはタフではありませんが、GFハウスでもレイに対して「どうする？　僕もエマも正気じゃないよ。完全に血迷ってる。放っとけないだろ」（一巻四話）と挑発してみせたり、「背後はとれる。まずシスター。多分、殺すことは不可能じゃない」（二巻九話）と冷徹な側面をのぞかせることから分かるように、精神的には強靭であり、人を殺すという攻撃的な手段に出ることもいとわず、それでいて熱くなることなく、クールに振る舞うことができます。

ＧＦハウスでは時折垣間見《かいまみ》える程度であったノーマンの秘められた「男らしさ」は、一四巻以降に劇的に開花します。ＧＦハウス脱走の際、ママの策略により出荷されて死んだと思われていたノーマンですが、実はΛ《ラムダ》と呼ばれる食用児の実験場に送られ、生き延びていたことが判明します。そしてエマ達の脱走から二年の間に、ノーマンはΛで人体実験をされていた食用児達と共に反乱を起こし、食用児だけの秘密の集落を作り、そこで食用児達の「ボス」となります。

ボスとなって再登場したノーマンは、何より外見の点でハウス時代とは大きく異なります。ＧＦハウス時代にはエマと同じ一四五センチだった身長は、驚くほど高くなり、体つきもしっかりし、大人のような体格へと成長しています（一四巻一一八話）。「天使っぽく、かつ儚く」「もやしっぽく」と白井先生が表現したＧＦハウス時代のノーマンとは明らかに異なる、「男らしい」風貌へ変化しているのです。

注目すべきは、ノーマン自身がこの身体的成長を意識している点です。一四巻の番外編

12では、ノーマンは自分がエマより身長が高くなったことを「なんとなくよっしゃ！」と喜びます。一方で、再会を喜ぶ子供達に飛びつかれて倒れてしまったノーマンに対し、エマやレイ、ドンが何人もの子供達をパワフルに抱え上げるのを見て、ノーマンが落ち込み、「筋トレしよう…」と考える場面が描かれます（一四巻番外編13）。

このことは、ノーマンが内心、エマと同じ小柄な身長であったことや、エマ達に比べ筋力に劣ることに、密かな劣等感を持っていたことを示しています。男性は一般的に身長、体重、筋力などが女性を上回ると考えられていますが、ノーマンはそのような身体的「男らしさ」を持ちたい、と無意識のうちに願っていたことが分かります。

ノーマンの持つ「男らしさ」への憧《あこが》れは、実験農園Λに囚われていた食用児達との関係の中で、しだいに浮き彫りになっていきます。ノーマンはΛや他の農園から救出した食用児達の前では、ノーマンという名を使わず、食用児解放の立役者である「ジェイムズ・ラートリー」、あるいは彼のコードネーム「ミネルヴァ」を名乗り、通常「ボス」と呼ばれています。

ノーマンが本名を隠し、ミネルヴァやボスという名前で行動したことは、漫画の演出と

番外編《ばんがいへん》13
パワー
ワーッ
アー
バーン
!!
ババーン
どうやってんの!!?
どうしたボス？
?
なんでもない
筋《きん》トレしよう…
番外編《ばんがいへん》13…おわり

14巻番外編13より

いう観点から見れば、「ミネルヴァさんが生きてる？　どんな人？　ボスって誰？」という疑問を読者に抱かせ、漫画を盛り上げる展開でもあるわけですが、同時に、GFハウス時代の「天使っぽく、儚く」「もやしっぽい」自分を封印することで、ノーマンは「男らしい」リーダーとしての自分を作り上げていったともいえるでしょう。

実際、Λのメンバー達の目に映っていたノーマンの姿は、彼らの表現を借りると「キリッ」「冬」「帝王」というもので、エマが知っていたGFハウス時代の「ノーマンは優しくて頭が良くて、いつもフワッとニコニコほほえんでいて…」という人物像とは大きく異なります（一四巻一二四話）（ただ、同じコマで、ほんわかした「The 春のほほえみ」を浮かべながらも、エマとのポーカーで容赦なく最強の手である「ロイヤルストレートフラッシュ」を出しているあたりに、ノーマンの持つ根本的な「男らしい」攻撃性が垣間見えるのですが……）。

「ボス」となったノーマンは、GFハウスで見せた穏やかさや優しさを押し隠し、その冷徹さを前面に出します。一五巻一二七〜一二八話において、鬼を全滅させるというノーマンの作戦にエマが反対し、鬼達の命を救いながら食用児も解放しようと提案した時、ノーマンはGFハウスからの脱出の時のように、彼女の無茶な理想をサポートするのではなく、理詰めで反論し、「夢物語だね」と切り捨てます。

一四巻以降の突き放したようなノーマンの言動は、エマとのこれまでの絆《きずな》を思うとショッキングですが、「女性は感情的だが共感力があり優しい。一方、男性は冷静で理性的だが共感力に乏しい」というステレオタイプの男女観にもとづいて見れば、一四巻以降にノーマンが見せる冷徹さは、まさに「男らしさ」の定型に則った振る舞いであるといえます。

GFハウスが「女らしさの神話」に支配された「女」の場所であるとすれば、再登場したノーマンは、「男らしさの神話」がはびこる「男」の世界である「外」で生き延びるため、そして、GFハウスでは抑圧されていた「男らしさ」への密かな憧れから、自ら「男らしさの神話」を体現しようとしたといえるでしょう。

「男らしさ」の呪縛《じゅばく》

「男らしさの神話」という概念は、アメリカにおいて一九七〇年代頃からフェミニズム運動と連動して検討され始め、一九八〇年代には日本においても「男性学」という名で論じられるようになりました。女性の権利を訴えるフェミニズムに比べ、男性の権利は長らく見過ごされてきましたが、男性の育児や家事への参加率が増加した近年、注目が高まりつつある分野であるといえます。

「男性学」という言葉は様々な意味で使用されますが、多くの場合、第二波フェミニズム運動がそうであったように、男性であることに由来する諸問題に目を向け、無意識のうちに人々が男性に押し付けている重い義務や負担、偏見などを可視化する学問領域であるといえるでしょう。

「男らしさの神話」がもたらす問題としては、「常に競争と闘争に勝ち続けなくてはいけないという強迫神経症」「感受性の鈍化と感情の貧しさ」「自己の道具化とその結果としての人生の空しさ、強いストレスと過労とその結果としての病気や早死に」（文献41・五九頁）などが例として挙げられています。「女らしさの神話」が男性中心社会のシステムの中で形作られ、男女双方の価値観に深く根付き、女性の生き方を制限したように、「男らしさの神話」もまた社会の仕組みによって構築され、男性の生き方を束縛しているといえるのです。

再登場したノーマンは、男性的ジェンダーから逸脱していたGFハウス時代とは正反対に、肉体的にも精神的にも「男らしさ」を強調した存在へと変化したといえますが、このことは、彼に強さをもたらすと同時に、彼を追い詰める諸刃《もろは》の剣ともなります。

ノーマンによって命を救われた食用児達は、彼を信奉し、神のように崇めます。新型農園Λ出身のハヤトはノーマンのことを「頭が良くて、切れ者で、神様みたいで。たった半年で既にいくつもの農園を潰《つぶ》し、何百もの食用児を救い出し、束ね上げている」（一三巻一一五話）と熱を込めて語り、Λ時代からの盟友であるヴィンセントは「全くボスは天才だよ。いや、そんなちゃちな言葉ではおよそ足りない。それ以上だ。ボスほど偉大で、高潔で、完璧《かんぺき》な存在はいない」（一六巻一三八話）と盲目的な崇拝《すうはい》の念を示します。

ノーマンを敬愛する食用児達は、同時に、彼に「神様」のような完璧な存在であることを期待します。エマが鬼の絶滅に反対していたと聞いたΛ出身のシスロは、「ボスはこっち側だよな？　ボスはボスだよな？　迷ってなんかないよな？」（一五巻一二九話）と詰め寄りますが、この言葉から、「神様」のように「完璧」なボスであるノーマンは迷いを見せたり、考えを変えたりすることが許されない状況にあったことを表しています。

食用児達を束ね、導く、強く賢く揺らぎないボスであるため、ノーマンは躊躇《ちゅうちょ》や動揺を見せることができず、感情を抑制した「男らしい」男を演じてしまいます。エマが「神様になんかならなくていいんだよ」「また一人で全部背負って遠くへ行っちゃうのやだよ…！」と言った時、ノーマンは一瞬「僕は……」と感情の揺らぎを見せ、エマの抱擁に応えようとしますが、すぐに「やだなァ。僕はもうどこにも行かないよ」と偽《いつわ》りの笑顔を見せ、頼りがいのあるボスであり続けようとしてしまいます（一五巻一二八話）。

また、Λの食用児達が人体実験の影響で頭痛や吐血などの発作に苦しむ中、ノーマンは常に彼らを保護する者として冷静に振る舞いますが（一五巻一二九話）、実はノーマン自身、人体実験の影響による発作に苦しんでおり、それを仲間には隠していたことが後に判明します（一七巻一四五話）。

「男らしさの神話」は男性に「強くなければならない。競争に打ち克《う》《か》たなければならない。攻撃的でなければならない。女を守り彼女たちをリードしなければならない。責任を全うせねばならない。おしゃべりであってはならない。感情を表に出してはならない。ましてや泣いてはならない……」（文献41・六九〜七〇頁）と要求しますが、これは、ノーマンが重圧や罪悪感を全て自分で背負い、誰にも自分の本心や体の不調を打ち明けずにいることとつながります。ノーマンは自分自身が求め、そして周囲から期待される「男らしさの神話」にふさわしい偶像へと、自分を追い立てているといえるのです。

ノーマンの持つ「男らしさの神話」へのこだわりは、GFハウス時代にも垣間見ることができます。一巻でエマが子供達全員での脱出という無茶を提案し、ノーマンがそれをサポートすると言った時、レイは「それでエマが死んでもいいのかよ!!」と詰め寄りますが、ノーマンは「死なせない。そのために僕は僕を利用するんだ」(一巻四話)と言い切り、実際に自分の命を犠牲に皆を脱出させようとします。

このセリフは一五巻の「救いたい。僕はエマ達も、シスロ達も、仲間全員《みんな》を。そのためならばね、僕は神にでも悪魔にでも喜んでなるよ」(一五巻一二九話)というノーマンの言葉と重なります。

先述したように、「男らしさの神話」は男性の「自己の道具化」を促すとされますが、ノーマンはGFハウスにいた頃から既に、「男らしさ」を発揮しようとするかのように、自分自身を道具のように扱い、皆を救おうとしていたのです。

救《すく》いたい僕《ぼく》はエマ達《たち》もシスロ達《たち》も仲間全員《みんな》を
そのためならばね
僕《ぼく》は神《かみ》にでも悪魔《あくま》にでも喜《よろこ》んでなるよ
エマ

15巻129話より

ギーランの「義」と「男らしさ」の歪み

ひ弱な少年から完全無欠のボスへ成長することで、「男らしさの神話」を実現しようとするノーマンですが、興味深いことに、彼が一時的に手を組んだ零落した元貴族鬼ギーラン卿もまた、ノーマンと同様の変化を遂げた存在であり、いわば歪んだ鏡に映るノーマンの似姿であるといえます。

本書の第1章で紹介したように、ギーランはかつて民のことを最優先に考える、慈悲深く賢明な鬼の貴族でした。しかし、部下ドッザの陰謀で野良落ちの刑に処せられ、一族ともども醜い野良鬼の姿におとしめられたことで、強い怒りと恨みの念を募らせます。

ギーランはノーマンの知恵を借り、王家と貴族鬼達を打倒しますが、復讐に燃えるギーランは、彼の失墜と直接関係のない当代バイヨン卿やその妻や幼い子供達、当代ノウム卿などまで惨殺してしまいます（一七巻一四六〜一四七話）。「バイヨンの倅《せがれ》とノウムの末娘か。恨むなら己が父母らを恨むがよい」（一七巻一四七話）と言い、当代バイヨン卿と当代ノウム卿の生首を両手に、その肉を貪《むさぼ》るギーラン卿の姿のおぞましさは、穏やかだった彼が長年の積怨《せきえん》のために、どれほど冷酷無比になったかを示すかのようです。

ギーランの見せる徹底した攻撃性の背景には、自分自身に対する抑圧や自己犠牲を助長し、さらに他者への攻撃をも加速させる「男らしさの神話」の影響が見て取れます。『新編 日本のフェミニズム12 男性学』の「殺す男たち」という章で、文化人類学者の沼崎一郎は次のように述べます。

正義のために悪を抹殺するのは「良い殺し」であり、それは男性の任務であるという文化があるのだ。何が正義かを決めるのも、もちろん男性だ。もっと言えば、自分の意志を正義として世界に貫ける男、逆らう奴がいれば殺してでも己の正義を実現する男こそ、男のなかの男なのだ。怒りに燃えて殺しまくったとしても、それが正義のためなら許される。いや、そういう男が求められるのだ。

（文献41・三〇四頁）

強く、たくましく、頼りがいのある男性像は、ぶれることのない一貫性や意志の強さ、そして「正義」のためになされる攻撃性と切っても切れない関係にあるのです。実際、ギーランとその一派は、王族や貴族鬼達への復讐に際し、「正義《われら》の勝利まで終わりはない。この復讐は絶対だ」（一七巻一四九話）と、繰り返し自分達の「義」を唱えます。

確かに、ギーラン達にはもともと罪などなく、またギーランの家族は野良落ちの際に命を落としており、復讐する理由は十分にあるといえます。彼らが直接ギーランを裏切ったわけではない貴族鬼達やその家族を徹底して殺害することは、第三者から見れば不当な八つ当たりですが、かつて罪もないのに野良に落とされ、家族の命も奪われたギーラン達からすれば、自分達のこうむった不幸を等しく相手に与えることであり、まさに、「目には目を、歯には歯を」という正義の復讐となるのかもしれません。

「正義」のために怒りに燃え、残酷なまでに徹底して敵を倒そうとするギーランの振る舞いは、エマの反対にもかかわらず鬼を絶滅させようとするノーマンの行動と重なります。ギーランにとっても、ノーマンにとっても、自分達を傷つけた者を完膚なきまでに叩《たた》きのめすことが、自分達の「正義」の証《あかし》となり、結果的に、彼らを頼りがいのある「男らしい」リーダーへと押し上げているのです。

当代バイヨン卿や当代ノウム卿に情けをかけることなく、一瞬で倒すギーランを見て、彼の元部下であり、裏切りの首謀者であるドッザは「あのヒョロ甘〝ギーラン様〟がやるじゃねえの」（一七巻一四七話）と言います。ドッザにとって、かつての心優しいギーランは精神的にも肉体的にも軟弱な優男《やさおとこ》であり、いわゆる「男らしさ」を欠いた存在だったと考えられます。しかし、復讐のために肉体的にも鍛えられ、精神的にも冷徹さを増したギーランの姿は、武闘派のドッザも感服する「男らしさ」を有しているといえるでしょう。

このギーランの変容は、ノーマンが温厚な「春のほほえみ」を浮かべていた虚弱な少年から、やがて肉体的にも精神的にも「男らしい」ボスへ変わったことと似通っています。仮そめにも手を組んだギーランとノーマンは、怒りと復讐のために「男らしさの神話」に沿った変貌を遂げるという点で、コインの裏表のような関係にあるといえるのです。

しかし、「罪なき幼子にまで手をかけて。かつてのうぬらならば絶対にゆるすまい。それで義とは笑わせる。700年でよう濁ったのぅ」（一七巻一五〇話）という女王の言葉が示すように、復讐に囚われたギーランの行き過ぎた残虐さは、彼が民からの信頼を得ていた理由である慈悲深さや賢明さを歪め、彼が主張する「義」を逆に揺らがせてしまいます（あの横暴な女王に言われたくはないでしょうが）。

怒りに駆られたとはいえ、なぜギーランはここまで残酷さを加速させてしまったのでしょう。女王が言及した「復讐など考えず、山なり谷なりに籠《こも》っておればよかったのだ」（一七巻一五〇話）という、戦いを行わず、生き残った者達の命を優先するという可能性もあったにもかかわらず、なぜ自身や部下達の命を危険にさらす復讐に固執したのでしょう。

その理由の一つとして挙げられるのが、周囲からの期待です。ギーラン達が野良落ちによって獣のような姿となり、知性も失った時、領民達が「このまま…落ちたままではなりませぬ」と言い、自らギーラン達に食べられることで、彼らの知性を復活させたことが語られます（一七巻一四九話）。この罪もない領民達の自己犠牲が、ギーランに「生かされた。我らには正しさを証明する義務がある」（一七巻一五〇話）という重い責任を負わせ、復讐を成し遂げることこそ「正義」であるという認識へと彼を追い立てます。

さらに、ギーランの部下達も「ギーラン様は王になる。王にするのだ、我々で」（一七巻一四九話）とギーランの女王打倒に強い期待をかけ、ついには最強の鬼である女王を倒すため、部下達は自らギーランに食べられることで、彼に力を与えようとします（一七巻一五〇話）。

17巻150話より　主君であるギーランに自らの身を差し出す部下達

「正義」のためであれば手段を選ばず、何を犠牲にしても成し遂げる意志の強さが「男らしさ」であるならば、確かにギーランもその部下達も「男らしい」といえるでしょう。しかしその結果、ギーランにのしかかった「正しさを証明する義務」という重責が、彼に引き返す余地を与えず、ひたすら殺戮と復讐へ前進することしか許さなかったのです。

このようなギーランの状況は、ノーマンが彼を「神」と崇拝するΛの食用児達の期待を裏切ることができず、鬼を絶滅させるのはやめようというエマの提案を受け入れることを拒み、ひたすら絶滅作戦を遂行したことと、よく似ているといえます。

自分達を虐《しいた》げた者への怒りと恨み、そして周囲からの強い期待によって、「男らしさ」を強化されたノーマンとギーランは、共に「男らしさの神話」が指し示す究極の道である、自己犠牲と殺戮に向かって突き進んだのです。

「男らしさの神話」からの解放

しかし結局のところ、「力」を頼みとするギーランの復讐は、力に勝る女王によって打《う》ち砕《くだ》かれます。ギーランの部下達も、そして彼自身も、圧倒的な女王の力を前に、なすすべなく皆殺しにされてしまいます。また仮に、ギーラン達が女王を倒していたとしても、慈悲の心を失ったギーランが、本当に皆が望むような「正義」の王になれたかどうかも疑わしいといえるでしょう。彼らが殺した貴族鬼達の家族の生き残りにより、さらなる復讐の連鎖が生まれるだけだったかもしれません。

ギーランと同じような冷酷な「男らしさ」の覇道《はどう》を突き進むかに見えたノーマンですが、エマ達によってもたらされる「男らしさの神話」からの解放により、ギーランとは異なる運命を進むことになります。

一八巻一五三話において、ノーマン達が巧みな戦闘により女王を打ち倒し、王宮の広間にいる貴族鬼達を皆殺しにしてしまった後、エマとレイが広間に飛び込んで来ます。惨憺《さんたん》たる血みどろの情景にエマ達は驚愕するものの、彼女らはノーマンに「新しい約束」によって食用児達が人間世界に移れることを告げ、もはや鬼絶滅作戦など不要であることを訴えます。

その時ノーマンは「僕は強い。大丈夫。大丈夫。お前は勝てる。闘える」（一八巻一五三話）と考え、ここまで推し進めてきた鬼絶滅計画を完遂させようと自分を奮い立たせます。

興味深いことに、彼が自分自身に言い聞かせる「強い」「勝てる」「闘える」という言葉は、いずれも古典的な「男らしさ」を表すものであり、ノーマンのこれまでの行動を後押ししてきた原動力であったことが分かります。

しかし、ノーマンが自分を奮い立たせるこの言葉と同じコマには、彼がこれまで行ってきた量産農園の食用児に対する安楽死、農園の破壊、子供を含む鬼達に対する殺戮が描かれ、苦悩するノーマンの横顔が映し出され、彼が破壊や殺戮を心底望んでいたわけではないことが暗示されます。

自分の行った殺戮の罪深さや仲間達への責任の間で葛藤するノーマンに対し、エマとレイは救いの手を差し伸べます。エマは「辛《つら》いこと、苦しいこと、怖いこと、私達にも分けて。背負わせてよ」「守ってくれなくていい。私はノーマンの隣を歩きたい!!」と言い、レイが「なぁ、お前は？　どうしたい？　どうしたいんだ、ノーマン」（一八巻一五三話）と問います。この呼びかけに、ついにノーマンは「助けて」と心の内を打ち明けます。

エマの「守ってくれなくていい」という言葉は、男は強いリーダーとして、父親として、夫として、家族や女性を守り、外の世界で戦わなくてはならない、という「男らしさの神

18巻153話より

18巻153話より

18巻表紙

話」を打ち破る言葉だといえます。さらに、レイの「お前は？　どうしたい」という問いは、ノーマンの行動を加速させていたものが、彼自身の望みである以上に、仲間達からの期待や責任であることを明らかにします。

GFハウスを脱出して以来、ジェンダーの枠を超えてそれぞれの能力を活かし、互いに助け合うことを習慣としてきたエマとレイだからこそ、「男らしさの神話」にがんじがらめになったノーマンに手を差し伸べ、一八巻の表紙の絵が表すように、食用児達の「神様」として偶像と化していく彼を、人間へと解放することができたのです。

このように見ると、『約ネバ』において、ジェンダーとは単なる登場人物のキャラ付けに留まらない、重要な役割を果たしていることが分かります。ジェンダーとは、単にその人がもともと持つ素質だけでなく、身の回りの環境によって構築された価値観として、彼らの思考に深く浸透し、いつしかその行動に大きな影響を及ぼすものなのです。

「女らしさの神話」にもとづくママやハウスの束縛から逃れ、「男」の世界である外の荒波にもまれる中で、エマとレイが歩んできた道と、ノーマンが進んだ道は大きく分かれ、それぞれの価値観を形作ってきました。

エマとレイがジェンダーのしがらみから解放された生活を送る一方、かつて、「男らしさ」とは見なされない、優しさや温和さを持っていたノーマンは、ギーラン同様、苦痛や恐怖、屈辱や怒りを経験したことで、それに対抗するため、これまで抑えられていた「男らしさ」を強化し、自分を傷つけた者達への復讐を決意します。

ノーマンとギーランが新たに身につけた精神と肉体の「男らしさ」は、仲間からの信頼を集め、敵を倒すと同時に、自己犠牲や冷酷な破壊をもたらします。最後まで「男らしく」復讐に徹したギーランは、部下達の多大な自己犠牲を重ねた上に、結局は自らも死に至ります。その無残な死にざまは、ノーマンがこのまま突き進んでいたら迎えたであろう未来の姿を映し出すようです。

性差の少なかった子供から、男と女という大人へと成長する過程で、人は誰しも「男らしさ」と「女らしさ」という壁にぶつかります。『約ネバ』は女性の生き方を縛る「女らしさの神話」からの解放を描くだけでなく、「男らしさの神話」が他者だけでなく、男性自身をも破壊する危険を持つことを、エマとノーマンがGFハウス脱出後に歩んだそれぞれの道のりや、ノーマンとギーランの奇妙な類似性によって鮮やかに描き出すのです。

「ママ」と「パパ」を超えて～ゆきてかえりし物語～

ノーマンと共に再び協力し合うことを決心したエマ達は、鬼の軍隊によってGFハウスに連れ去られた子供達を救うため、かつて自分達が脱出したハウスに今度は侵入します。そして、鬼の軍隊を指揮していた黒幕こそ、農園制度の番人であったピーター・ラートリーであることが明らかとなります。

一九巻一六八話において、ピーター・ラートリーは自らを食用児達の「創造主《パパ》」と呼びます。これは不遜《ふそん》なピーターらしい発言であると同時に、本書の第1章で触れた『ピーター・パン』とも深く関わる興味深い発言だといえます。ネバーランドにおいて、ピーター・パンはパパ、ウェンディはママ、迷子達は二人の子供達として、疑似家族ごっこをして遊びます。『約ネバ』の一六五話において、イザベラとピーター・ラートリーが手を組んだことは、まさにピーター・パンとウェンディのように、二人が偽りの「パパ」と「ママ」を演じることにほかなりません。[*14]

しかし、『ピーター・パン』のピーターはどんなに父親の振りをしようとしても、本心から大人になりたいわけではないため、結局「父親」よりは「子供」のままでいることを望みます。

ピーター・ラートリーもまた、口では自分を「パパ」と呼びながら、結局は自分本位な横暴さを振りかざすだけであり、真の意味での「父親」にはなりえません。彼は今後は食用児達の意志や自由を剝奪《はくだつ》し、反逆することのない「平和な〝楽園〟」を作ると宣言し、極端に「幼児的」でヒステリックな様子で次のように叫びます。

「なんでこうどいつもこいつも物解《ものわか》りが悪いんだ。なんでこうも僕に逆らうんだ。僕は食用児《おまえたち》の父《ちち》。創造主《パパ》なんだぞ。農園がなかったら、ラートリー家《ぼくたち》がいなかったら、家畜《おまえたち》は生まれてすらこなかったんだぞ。タダで食わせてもらって、育ててもらって、なのに農園に、我々に刃向かい、逃げ出し、挙句破壊しようとする。なんて愚かで不敬なんだ。反抗期にはもううんざりだ!!」（一九巻一六八話）

このようなピーター・ラートリーの暴言は、まさに反抗的な態度を取る子供に向かって、多くの親が口にしてしまいがちなお定まりの言葉であるといえます。悪の権化のように描かれるピーター・ラートリーですが、その姿は現実世界にも存在する、子供を自分の思う通りに支配しようとする、いわゆる「毒親」の姿を戯画化したようです。

しかし、食用児の一人であるオリバーは「〝パパ〟？　笑わせるな。お前は俺達の父親じゃない!!」（一九巻一六八話）と断言し、ピーター・ラートリーに銃を突き付け、偽りの「父親」の権威を否定します。

GFハウスというハウス（家）において、「ママ」との戦いから始まった物語が、巡り巡って、再びハウスに戻り、「パパ」との対

19巻168話より

決に至ることは、物語の円環構造が見事に完成する瞬間でもあります。J・R・R・トールキンの『ホビット』の副題である「ゆきてかえりし物語」（There and Back Again）のように、『約ネバ』もまた、主人公が故郷を離れて旅に出て、再び故郷へ戻って来る物語なのです。もともと暮らしていた場所へ再び戻ることで、主人公が数々の冒険を乗り越えて培《つちか》った知恵や力がより鮮やかに浮かび上がることになります。

『約ネバ』の物語は、変化しながらも反復する螺旋の動きを繰り返し、それによって子供達の変化や成長が際立つことになります。例えば、ママ・イザベラという「母」から逃れた後、エマが次に戦う猟場のレウウィス大公は、時に子供を導き、時に子供を欲望の対象とする、敵としての「男／父」であるといえます。

その後、ノーマンが対決するレグラヴァリマ女王は、レウウィスがエマに対してそうであったように、ノーマンに執着し、「ずっとお前を食いたかった」「誰にも渡さぬ!! お前は私の人肉《にく》なのだ!!」（一七巻一五二話）と叫びますが、女王がノーマンに対して見せる貪欲さは、イザベラのような優しい母性とは異なる、子供を自らの中に取り込もうとする支配的な「女／母」を象徴するかのようです。

また通常の鬼が急所となる核を頭部に一つだけ持つのとは異なり、レグラヴァリマ女王は二つの核を持ち、その二つ目の核が子宮の存在する腹部にあることも、彼女の「女／母」としての側面を強調します。レグラヴァリマ女王は、イザベラに続く、子供にとって脅威となる第二の「母」だといえるでしょう。

そして、物語の最終局面において、子供達は再びＧＦハウスに戻り、ピーター・ラートリーという「父」と戦います。物語の終わりで始まりの場所に戻ることは、同じ状況に戻ることを意味するのではなく、主人公達が「どれほど変わったか」を表す効果があります。反復される「母」と「父」との戦いという円環構造によって、かつてはハウスの内側で守られ、囚われていた子供達が、外の世界に飛び出したことで、どれほど強く賢く成長したのかがより鮮明に描き出されるのです。

このような視点から見れば、『約ネバ』は一九世紀にルイス・キャロルの『不思議の国のアリス』によって幕を開けた、大人の古い常識を覆し、真に自由な大人へと成長する子供達の物語という伝統的な児童文学の王道を継承しつつ、二一世紀的な新しいジェンダー観を反映し、漫画という媒体《ばいたい》で描かれた、まさに新しい「文学」だといえるでしょう。

コラム③　エマと「戦う女達」の系譜《けいふ》

少女でありながら少女らしからぬエマのような主人公は、少年漫画においては特異な存在ではありますが、歴史的な文脈から見れば、どのような位置づけができるのでしょうか。

先ほど紹介したベティ・フリーダンがその著書により「女らしさの神話」に疑問を投げかけ、全米女性機構（National Organization for Women）を設立したことにより、一九六〇年代から七〇年代にかけて、アメリカを中心に世界中で女性解放運動、あるいはウーマンリブと呼ばれる活動が広まります。

一九世紀に起こった第一波フェミニズムが、女性の選挙権の獲得という法的な改革を訴えたのとは異なり、一九六〇年代の第二波フェミニズムは男性中心の社会制度の改革を求めるだけでなく、女性を含んだ人々の意識の中に植え付けられたジェンダーの打破を推し進める、いわば「意識」改革であるともいえます。

第二波フェミニズムは欧米だけに留まらず、日本にも大きな影響をもたらし、女性の社会進出が進む中、一九八五年には男女雇用機会均等法が制定され、採用や昇進、解雇などにおいて、性別を理由にした差別を禁止することが定められました。

一九八〇年代になると、第二波フェミニズムが求めた男女平等や意識改革がひとまずは成し遂げられたと考えるポスト・フェミニズムと呼ばれる潮流が生まれ、男性よりも強い「戦う女」が登場する映画やアニメなどが作られるようになります。

一九七九年のリドリー・スコット監督によるSF映画『エイリアン』(*Alien*, 1979)と、続編であるジェイムズ・キャメロン監督の『エイリアン2』(*Aliens*, 1986)では、これまでのパニック・ホラー映画にお決まりの、逃げ惑う美しい弱者としての女性キャラクターとは異なり、外見的に中性的な印象を与える女性リプリーが、男性よりも勇敢にエイリアンに立ち向かい、新しい女性像を提示しました。

ほぼ同時期の日本では、一九八四年に宮崎駿《はやお》監督のアニメ映画『風の谷のナウシカ』が公開され、ここでも戦闘においても男性を打ち倒す力と、社会の流れを変える新しい意識を兼ね備えた女性ナウシカが活躍し、日本のアニメに新しい女性像を打ち立てます。

一九九〇年代に入ると、アメリカのディズニー・アニメにおいても、従来のジェンダー観に疑問を持つ『美女と野獣』(*Beauty and the Beast*, 1991) のベルや、男装して男性達に混じって戦う女性を描いた『ムーラン』(*Mulan*, 1998) などが上映されるようになります。

一九九二年から一九九七年にかけて『なかよし』(講談社) で連載された武内直子の『美少女戦士セーラームーン』の人気の高さも、日本における戦う女性キャラクターが一般に広く受け入れられたことを示すものだといえます。

二〇〇〇年代から二〇一〇年代に入ると、強い女性を描くだけでなく、女性の幸せ＝結婚、という古い価値観に囚われない生き方を示す作品がアメリカ映画に増加します。『アナと雪の女王』(*Frozen*, 2013) では、伝統的なジェンダー・イメージに囚われ、王子様との結婚に憧れる妹アナと、男性との恋愛に興味を示さず、強力な魔法の力を持つ姉エルサが対比されます。最終的には男女の愛よりもアナとエルサの姉妹愛の強さが「真実の愛」として示され、結婚という結末が描かれないという、これまでのディズニーの伝統を覆す大きな転機を迎えました。

このような変化は現実社会において、二〇〇四年にアメリカのマサチューセッツ州で同性婚が認められ、ついに二〇一五年に全米で同性婚が合法となり、家族のあり方やライフ・スタイルが多様化したことを反映しているといえるでしょう。

実写映画では『スター・ウォーズ』シリーズの七作目となる『スター・ウォーズ/フォースの覚醒《かくせい》』(*Star Wars: The Force Awakens*, 2015) において、『スター・ウォーズ』シリーズ初の女性主人公レイが登場し、他の男性キャラクターよりも戦闘力が勝る女性として描かれ、大きな話題となりました。彼女もまた、結婚という結末を迎えない点において、これまでの『スター・ウォーズ』シリーズに登場したレイア姫やアミダラ女王とは異なる女性像を築いたといえます。

日本のアニメでは二〇〇四年から二〇〇六年に放送された『ふたりはプリキュア』において、運動神経抜群のボーイッシュな少女美墨《みすみ》なぎさと、理数系を得意とする少女雪城ほのかが、魔法の力ではなく肉弾戦で戦い、これまでの「魔法少女」もののジェンダーを打ち破ります。特に二〇一八年から放送が開始された『HUGっと!プリキュア』

では、少年である若宮アンリがプリキュアに変身したことで、女性だけでなく男性の描かれ方にも革命がもたらされたといえるでしょう。

このような流れの中に置いてみると、二〇一六年に連載を開始した『約ネバ』において、読者にとっての恋愛対象とならないよう意図され、また作中でも誰とも恋愛関係になることのない、少年のような少女であるエマが主人公であることは、少年漫画という、ある種保守的といえる媒体において、当然もたらされるべき変化だったのかもしれません。エマという『週刊少年ジャンプ』史上、稀有な女性主人公は、社会と価値観の移り変わりを見事に反映した、まさに「今の」戦う女だといえるでしょう。

コラム④ 『約ネバ』と『わたしを離さないで』と『アイランド』

『約ネバ』の一話を読み、「鬼に食べられるために飼育された孤児達」という衝撃の真実を知った読者の中には、日本出身のイギリス人作家カズオ・イシグロ（Kazuo Ishiguro, 1954–）の小説、および映画の『わたしを離さないで』(*Never Let Me Go*, 2005, 映画版2010)の「臓器移植のためのドナーとして育てられた孤児達」という設定を想起した方も少なくないのではないでしょうか。

特に『約ネバ』の一話において、教育的な孤児院で健康な生活を送る子供達の姿は、『わたしを離さないで』に描かれる良心的な寄宿学校ヘールシャムで、恵まれた生活を送る孤児達をたやすく連想させます（むしろ、このあからさまな類似性が、読者をミスリードし、「これは『わたしを離さないで』のパロディだ！　この子達はクローンで、ドナーなんだ」と思わせることで、「鬼」という異形の存在が現れた時の驚きを演出しているともいえます）。

しかし、日本の漫画である『約ネバ』と、イギリスの小説である『わたしを離さないで』は、似通ったモチーフを扱いながら、根本的に異なる価値観にもとづいて描かれており、それゆえに子供達の行動もまるで異なっています。

例えば、『わたしを離さないで』のクローンの生徒達は、自分達が他の人間のために臓器提供して、若くして死に至る運命であることを知らされても、「そんなこと、とっくに知ってたじゃん」（文献42・一二八頁）と考え、驚くこともなくその事実を受け入れ、そのような理不尽な社会のシステムに対し、反旗を翻すこともなく、施設から脱走することもありません。そして主人公キャシーは自ら志願して、「提供者」であるクローンの世話をする「介護人」となり、親友達の死を看取《みと》ります。

出版当初から議論の的であったクローン達の受動性は、運命に対する人間の普遍的な受動性を表しているとカズオ・イシグロは語っています（文献43・二四一頁）。確かに、我々人間は死すべき運命に対し、それに抗ったり、逃れたりすることはできません。また、家庭が、学校が、職場が、国が、自分にとって理不尽なシステムであったとしても、そこから逃れることは容易ではありません。本作において、クローンは特異な存在なのではなく、私達「人間」を象徴するものであり、彼らの物語は私達の物語だといえるでしょう。

あるいは、イギリスにおける「階級」という視点から解釈することも可能です。クローンの生徒達は、自分達がつける仕事は郵便配達や農民、運転手といった、いわば肉体労働を中心とした労働者階級の仕事だけだと考えており、きれいなオフィスで頭脳労働者として働くという中産階級以上の職業イメージは「奇想天外」と見なしています（文献42・二二九～二二三頁）。

現在においてもイギリスに厳然と存在する階級意識は、人々の言葉遣いや、食べ物、衣服、教育、職業など、生活の様々な領域にわたって影響を及ぼします。二〇一七年のノーベル文学賞受賞講演において、カズオ・イシグロが「一九七九年の秋に私を見かけた人は、さて、これはどんな社会階層の男だろう、と首をひねったかもしれません。人種さえよくわからないな、と」（文献44・五頁）と語り始めているように、イギリスにおいて、相手が誰であるかを推し量る基準として、人種同様、あるいはそれ以上に階級が重要な要素であることが分かります。

イギリスで暮らす作家カズオ・イシグロによる、イギリスを舞台とした同作において、「階級」もまた運命と同様に、逃れえない定めとして描かれていると考えることができるのです。

しかし、『わたしを離さないで』と『約ネバ』がまったく関係のない物語であるかというと、そうでもありません。本作の結末は、興味深いことに『約ネバ』の始まりへとつながっていきます。

『わたしを離さないで』のクローン達は、真に愛し合うカップルの場合は、例外的に数年間、「提供」を猶予《ゆうよ》してもらえる、という噂《うわさ》に希望を抱き、クローンを管理していたエミリ先生のもとを訪ねます。しかし、彼らに明かされるのは、そのような例外措置はないという残酷な事実のみです。エミリ先生は次のように続けます。

「わたしたちの保護下にある間は、あなた方をすばらしい環境で育てること——何ができなくても、それだけはできたつもりですよ。そして、わたしたちのもとを離れてからも、最悪のことだけは免れるように配慮してあげること。少なくともその二つだけはしたつもりです。（中略）振り返ってごらんなさい。あなた方はいい人生を送ってきました。教育も受けました」（文献42・三九八〜三九九頁）

このエミリ先生の言葉は、『約ネバ』でイザベラがエマ達に対して言った「幸福な一生じゃない？　あたたかなお家でおいしいごはんと愛情いっぱい。飢えも寒さも真実も知らず、満たされた気持ちで死んでいく。一体それのどこが不幸だと言うの？」（三巻二五話）という言葉を思い出させます。

今まで当たり前に享受《きょうじゅ》してきた生活こそが、クローン達が得られる最良のものであったという絶望を受け入れることが『わたしを離さないで』の結末だといえますが、『約ネバ』は、この絶望を物語のスタートに据《す》え、理不尽な現実に抗います。

絶望の受容ではなく抵抗という手段に出た点において、『約ネバ』は奇しくも『わたしを離さないで』の出版と同じ、二〇〇五年に上映されたアメリカ映画『アイランド』（*The Island*, 2005）に近い展開を見せます。『トランスフォーマー』（*Transformers*, 2007）で有名なマイケル・ベイ監督の作品らしく、『アイランド』は激しいアクションと、ユア

……
大好《だいす》きだから
苦《くる》しんで
ほしくない
私《わたし》は
あなた達《たち》を
苦《くる》しませたくないの
幸福《こうふく》な一生《いっしょう》
じゃない？
あたたかなお家《うち》で
おいしいごはんと
愛情《あいじょう》いっぱい
飢《う》えも寒《さむ》さも
真実《しんじつ》も知《し》らず
満《み》たされた
気持《きも》ちで
死《し》んでいく
一体《いったい》それの
どこが不幸《ふこう》だと
言《い》うの？
63194

3巻25話より

ン・マクレガーとスカーレット・ヨハンソンという人気俳優のラブストーリーも交えたエンターテインメント性の高いSF映画です。

『アイランド』の主人公リンカーン・6・エコーは、自分が臓器提供のためのクローンであり、自分が暮らす施設はクローン製造工場であることを発見すると、仲間のクローンであるジョーダン・2・デルタと共に施設を脱出し、ついには自分のオリジナルであるトム・リンカーンを殺害し、最後には施設に囚われていたクローン達を解放します。

臓器移植のために生み出され、施設で隔離して育てられたクローン達の物語という点では、『わたしを離さないで』と同じモチーフを使用していますが、主人公の行動は正反対です。この展開の違いには、本作がアメリカ的文化や価値観に深く根差していることが関わっていると考えられます。

リンカーンが求めるのは「生命」と「自由」であり、それが彼を施設から脱出させ、自分のオリジナルさえ殺害する根拠を与えます。アメリカ独立宣言には「あらゆる人間は平等」であり、「生命、自由、幸福の追求」こそ、神が人間に与えた不可侵の権利であると記されています。一七七六年にアメリカがイギリスから独立して以来、この考えはアメリカ人のアイデンティティであり、アメリカ人の魂として受け継がれています。

リンカーンは、まさにアメリカ人としての基本的人権を行使し、自らの「生命」と「自由」を守るため、施設を脱走し、多くの追跡者を殺し、さらに自分を施設に引き渡そうとするオリジナルを殺害したのです。

リンカーンが犯す殺人という罪は、この場合あまり問題になりません。危険を伴う西部開拓や独立戦争など、市民が自ら武器を取って戦い、自らの土地や権利を勝ち取ってきたアメリカにおいて、「自由を愛し自主独立と民主主義を尊ぶ国民性は、（中略）その一方で、暴力に対してどこか寛容《かんよう》な傾向や、将軍や英雄を無条件に礼賛《らいさん》しがちな」（文献45・三頁）傾向を生み出したのです。エイブラハム・リンカーン大統領が南北戦争というアメリカ最大の死者を出した内戦を指揮し、黒人奴隷制度を廃止した英雄となったように、同じ名を持つ「リンカーン」・6・エコーもまた、暴力によって死体の山を築きながらも、搾取されていたクローン達の生命と自由を勝ち取ることで、アメリカン・ヒーローとなるのです。

自分達の「生命」と「自由」のために抵抗し、戦いをいとわない『約ネバ』のエマ達の行動は、『わたしを離さないで』における運命の受容よりも、むしろ『アイランド』の価値観に近いものであると考えられます。

一方で、日本人によって書かれた漫画である『約ネバ』には、日本的な価値観を見出すこともできます。『アイランド』では、まずリンカーンとジョーダンの二人だけが施設を脱出しますが、『約ネバ』のエマはＧＦハウスの子供達「全員」で脱出することにこだわります。

もしもアメリカ映画『アイランド』において、最初からリンカーンが「全員で脱出しよう」と言ったならば、恐らく非現実的な発言と見なされ、物語からリアリティを奪うことになりかねません。

しかし、日本の漫画である『約ネバ』において、この「全員」というキーワードは、「個人」よりも「集団」を重視する傾向にある日本的な価値観に一致するものであり、困難を伴うものの、理解できる心情として受け入れることが可能です。

白井先生が最初に書いたプロトタイプのストーリーでは、エマだけが脱出するという展開であったため、当初はより『アイランド』的な個人の活躍が重視されていたことが分かります（文献36・六二頁）。しかし、結果として「全員で脱出」にこだわることで、食用児の間に強い絆が生まれ、脱出の困難さにより、物語はさらに盛り上がりました。

　このように、『わたしを離さないで』と『アイランド』と『約ネバ』は、それぞれ共通したモチーフを扱いながら、イギリス、アメリカ、日本というそれぞれの文化的背景を持つことにより、まったく異なる物語展開を見せるのです。映画や本を読む時、ぜひその作品が作られた社会の歴史や文化について思いを巡らせながら鑑賞してみて下さい。きっと今まで気づかなかった物語の深さと楽しさを発見し、時には世界の見え方が変わるような体験ができるでしょう。

あとがき

『約ネバ』の一話が『週刊少年ジャンプ』に掲載された瞬間から、私はこの物語の虜《とりこ》になり、夫と語り合うだけでは飽き足らず、大学で担当している英米児童文学や宗教についての授業の際に、『約ネバ』を例に挙げて説明することもしばしばありました。

ついには恐れ知らずにも、本書の企画書と第1章のプロトタイプを集英社新書編集部に送ったところ、新書編集部の石戸谷奎《いしとやけい》さんから前向きに検討したいと電話をいただき、『約ネバ』について存分に書けるという、夢のような機会を得ることができました。

本書を書いている間、『約ネバ』はどれだけ語っても語り尽くせない（オタク的な表現でいうところの）「沼」であることを何度も痛感しました。本書では触れることのできなかったキャラクターや物語の解釈、影響関係があると思われる漫画や映画も数多くあります。

また、本書はあえて作者の先生方の意図と私の解釈が一致しているか「答え合わせ」をせず、自由に書かせていただきました。作者の意図と読者の解釈の「ズレ」は避けがたいものですが、その「ズレ」の中にこそ、思いがけない解釈の可能性が生まれ、物語はより一層広がりを見せると信じております。

『約ネバ』はそれだけで十二分にスリリングで面白い漫画です。けれど、文学や文化、歴史、宗教についての知識を持てば、「沼」はさらに深く広くなり、ついには「大海」へとつながり、今まで思ってもいなかった物語の楽しさを発見することになるかもしれません。本書によって、英米文学・文化の視点から『約ネバ』を読み解く楽しさと、『約ネバ』を入り口として、英米文学・文化を学ぶ面白さを伝えることができればと願っております。

本書の企画に快く賛同して下さり、『約ネバ』の素晴らしい漫画の絵を提供下さいました、作者の白井カイウ先生、出水ぽすか先生、担当編集者の杉田卓さんに感謝申し上げます。また、本書の実現に向けて尽力して下さり、構成や画像、言葉遣いなど、細かな点まで確認して下さった編集者の石戸谷さんに厚く御礼申し上げます。

そして最後に、日常会話の九割が『約ネバ』の話題になっても嫌《いや》な顔一つせず、むしろ一緒に語り合い、本書の原稿に的確な助言を与えてくれた夫、そして『約ネバ』全巻をそろえて予習し、本書の出版を心待ちにしてくれた両親と妹に深く感謝いたします。

注

＊1　マイケル・ジャクソン（Michael Jackson, 1958-2009）は「キング・オブ・ポップ」と呼ばれたアメリカを代表する歌手であり、「ムーンウォーク」などの特徴的な振り付けを生み出したダンサーでもあります。カリフォルニア州に建設された広大な自邸は遊園地、動物園、レコーディング・スタジオを併設《へいせつ》し、子供達の楽園という意味を込めて、『ピーター・パン』にちなんで「ネバーランド」と名付けられました。マイケル・ジャクソンはこのネバーランドに子供達を招いたり、病気の子供達へのチャリティー活動にも使用していました。

＊2　『約ネバ』一六巻でエマと共に謎の空間に入り込んだレイが、エマとはぐれて一人で砂漠《さばく》をさまようエピソードのタイトルもまた「Lost Boy」であり、『ピーター・パン』の「迷子達」（Lost Boys）をイメージしていると思われます。現実世界で「迷った／失われた」（lost）、すなわち死んでしまった子供達が、ネバーランドという死の世界に行ったと考えると、レイが迷い込んでいる場所もまた生と死の狭間《はざま》のような場所であるとも考えられます。

＊3　善と悪が入り混じるピーター・パンの性格は、その名前からもうかがい知ることができます。ピーター・パンの「パン」（Pan）とはギリシャ神話に登場する上半身が人間、下半身がヤギの牧神パンに由来します。同じ半人半獣のサテュロスやローマ神話のフォーン（ファウヌス）と同一視される牧神パンは葦笛を得意とし、しばしば女性を誘惑する好色な神として描かれます。

　そのため、『ピーター・パン』の初版本のF・D・ベッドフォードの挿絵では、ピーター・パンは牧神さながらに葦笛を吹いています。また、ウェンディを迷子達の母親にしようと考え、ネバーランドに連れて来る行為は、美しい女性をさらっていく好色な牧神パンのイメージが反映されているといえます。

女性を連れ去る誘惑者としての牧神パンのイメージは、C・S・ルイスの『ナルニア国物語』の第一作目『ライオンと魔女』(*The Lion, the Witch and the Wardrobe*, 1950) において、少女ルーシーをお茶に誘い、白い魔女に引き渡そうとするフォーンのタムナスや、ギレルモ・デル・トロ監督の映画『パンズ・ラビリンス』(*Pan's Labyrinth*, 2006) で、少女オフェリアを幻想の世界に導くパンにも見出すことができます。

＊4 一九巻一六四話でピーター・ラートリーが食用児達の隠れ家を急襲し、子供達を縛り上げ、救出に来るエマ達を待ち受けるという展開は、『ピーター・パン』において、フック船長が迷子達の隠れ家を発見し、子供達を縛り上げた上、ピーター・パンを倒すための罠《わな》を仕かけるという展開を思わせます。ここではピーター・ラートリーがピーター・パンではなく、敵のフック船長の立場に立つという逆転が起きています。

＊5 「帽子屋のように頭がおかしい」(as mad as a hatter) という表現は、もともと帽子を製造する際に水銀を使用したため、幻覚や錯乱を伴う水銀中毒が帽子屋の職業病となったことに由来します。なお、三月ウサギもまた「三月のウサギのように狂っている」(as mad as a March hare) という英語の成句にちなんだキャラクターであり、この慣用句は繁殖期である三月にウサギが落ち着きなく飛び跳ねることに由来しています。

＊6 『約ネバ』公式サイトで公開された「白井カイウ先生&出水ぽすか先生 約ネバ質問箱 回

答」（文献13）において、「レウウィスには実在の人物2〜3人をイメージに取り入れています。誰かは秘密です」と白井カイウ先生は答えています。その二、三人の中にルイス・キャロルは入っているのでしょうか。教えて、白井先生！

＊7　バイロン卿の別荘での怪奇談義を描いた映画としては、ヒュー・グラントが妖《あや》しげな魅力を漂わせるバイロン卿を演じた『幻の城』（*Rowing With The Wind*, 1988）がお勧めです。最近ではメアリー・シェリーの半生を描いた映画『メアリーの総《すべ》て』（*Mary Shelley*, 2017）にも、この別荘での出来事が登場します。

＊8　「フランケンシュタイン」と聞くと、しばしば頭にボルトをつけた、つぎはぎの怪物が連想されますが、フランケンシュタインは怪物を作った人物の名前であり、怪物は「怪物」や「悪魔」（creature, monster, daemon）などとしか呼ばれない、名のない存在として描かれます。

原作の副題に「現代のプロメテウス」とあるように、フランケンシュタインはギリシャ神話において人間を土から創造した巨人族プロメテウスのように、死体に電気を流すことで命を与え、新たな人間を創造しようとする「現代の」プロメテウスなのです。

メアリーは電流を流すことで死んだカエルの脚を痙攣《けいれん》させたガルヴァーニの電気実験の話をバイロン卿とシェリーの会話の中で漏れ聞き、当時の最先端の科学技術である「電気」によって生命創造という神の技を盗む科学者の物語を着想したと『フランケンシュタイン』のまえがきで語っています（文献17・ｖ頁）。

＊9　トールキンは緻密な世界観を持つ『指輪物語』を書いた理由として、イギリスにはギリシャ神話や北欧神話のような体系だった神話がないため、自ら神々による壮大な天地創造の神話

から、エルフと人間の歴史物語に至る伝説体系を作り上げ、それをイギリスの新たな神話として母国に捧げようと考えたと述べています（文献19・一六～一七頁）。トールキンが作り出したエルフ、ドワーフ、人間、そしてホビットの物語は、その後多くの作家達に影響を与え、イギリスをファンタジー大国として揺るぎないものにしたといえます。

＊10　J・K・ローリングの『ハリー・ポッターと秘密の部屋』（*Harry Potter and the Chamber of Secrets*, 1998）に登場する大蜘蛛アラゴグを始め、ファンタジーやゲームにはしばしば大蜘蛛が登場します。その原型といえるのが、ギリシャ神話に登場する蜘蛛アラクネです。アラクネはもともと人間の女性でしたが、自身の織物の腕前を誇るあまり、傲慢にも知恵と織物の女神アテナに挑戦してしまいます。アテナとの織物勝負の結果、自ら死を選んだアラクネを、アテナは蜘蛛に変えます。ここでも蜘蛛は強欲、貪欲、高慢と結び付けられています。粘着質の糸でできた大きな巣で獲物を捕らえる蜘蛛は、欲深い生き物のように見えるせいかもしれません。

なお、女性に化けることができる日本の蜘蛛の妖怪、「女郎蜘蛛（絡新婦《じょろうぐも》）」や、ネイティブ・アメリカン神話において世界を織ったとされる「蜘蛛女」を始め、世界には蜘蛛と女性を結び付けた伝説が多く残されていますが、これは機織《はたお》りが女性の仕事と見なされていたため、糸で巣を張る蜘蛛と関連付けられたと考えられます。

＊11　レグラヴァリマ女王の髪を上から見ると薔薇《ばら》の花のような形に見えるのですが、これはイギリスの国花であり、イギリス人が愛する薔薇の花をモチーフにしているのでは、と考えるのは少し考えすぎでしょうか。

また、『約ネバ』において、エマ達の最初の敵は「ママ」、すなわちイザベラでしたが、エマ達が農園を脱出する最後の夜にイザベラが着ている服の襟の形は、どこかレグラヴァリマ女王の襟と似ているようにも見えます。エマ達の前に立ちふさがる敵である「ママ」と、さらにその向こうにそびえる鬼の女王という、敵としての女性という共通点を示しているのかもしれません。

15巻132話より

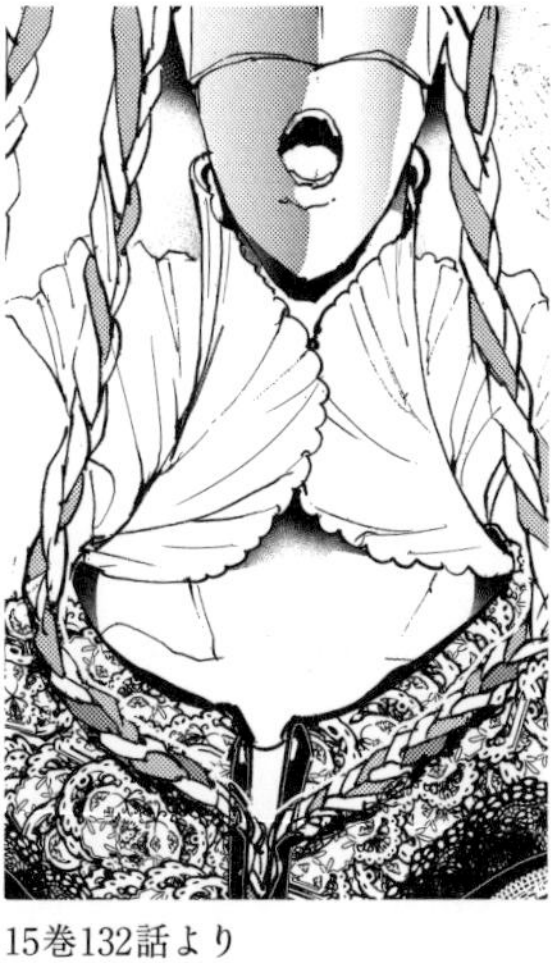

15巻132話より

5巻37話より

＊12　鬼達の原初信仰は大僧正《だいそうじょう》と四賢者と呼ばれる宗教的指導者が束ねていたことが一九巻で明らかになりますが、ユダヤ教もラビと呼ばれる宗教的指導者が存在します。ラビはキリスト教の牧師や神父とは異なり、布教活動を行うことはなく、『旧約聖書』を研究し、人々の精神的指導者の役割を果たします。なぜなら、移り変わる時代の中で、『旧約聖書』の教えを言葉通りに実行し続けることは困難だからです。そのため、ラビは聖書を研究し、人々の生活の中で起こる様々な出来事に対し、どのように戒律を解釈して応用するのかを助言するのです（文献28・一三四頁）。
『約ネバ』の原初信仰の大僧正達も、ラビと同じような役割を担っていると考えられる場面があります。「約束」によって人間を狩ることを禁じられ、鬼達は養殖の人間を食べるほかなくなるのですが、ソンジュは「大僧正様は〝約束〟直後、民に教義を破るよう許したんだ。民の命を守るために。だがその贖罪《しょくざい》に自らは教義を遵守し、ただ只管《ひたすら》に民の安寧《あんねい》を祈り続けた。民はそのおかげで今養殖人肉《にく》を食えていると思っている。大僧正様達の犠牲と祈りが、神の怒りを鎮《しず》めてくれたのだと」（一九巻一六二話）と語ります。

　ユダヤ教のラビも原初信仰の大僧正達も、共に戒律という重要な骨組みを守りつつ、その時代に生きる人々のため、知恵を尽くすのだといえるでしょう。

＊13　GFハウスの外でエマが出会う他の食用児達は、さらに多彩です。八巻六五話において、猟場でエマと最初に出会う少女ヴァイオレットは、自分のことを「オレ」と呼び、言葉遣いも男性的であり、外見も中性的です。彼女がトランス・ジェンダーなのかどうかは明言されませんが、いわゆる「女の子らしい」振る舞いから逸脱した少女が描かれることにより、鬼が定め

9巻77話より　ルーチェと部下達に向け二丁の機関銃を発射するジリアン

た社会のあり方に対する食用児達の反逆を読者に印象づけます。

また、九巻七八話で貴族鬼のルーチェを倒すのは、一般的な観点から見て「かわいい少女」と見なされるであろうジリアンです。彼女は肩まで髪を伸ばし、小柄で、ニット帽や服にたくさんの手作りワッペンをつけたおしゃれな女の子ですが、大きな銃を二丁同時に使用するなど、パワフルな戦闘を行います（前頁）。女の子らしくない＝男並みに強い、という図式ではなく、子供達がそれぞれの個性において強さを発揮する様子は、画一的なジェンダーから解放された生き方を示しているようにも読み取れます。

＊14　ピーター・ラートリーがイザベラに協力を持ちかけ、手を差し伸べる一六五話のタイトルは"You Can Fly!"ですが、これはディズニー・アニメの『ピーター・パン』（*Peter Pan*, 1953）でピーター・パンがウェンディ達をネバーランドに連れて行くため、妖精の粉をかけて子供達が空を飛べるようにする場面での歌のタイトルでもあります。

一見すると、農園制度の支配下にあったイザベラが、ピーターと手を組むことで自由を手にするように見えるタイトルですが、ネバーランドに行ったウェンディが、結局はピーター・パンをリーダー（父親）とする疑似家族の母親役を演じることを考えると、ピーター・ラートリーによって提示されたこの協力関係は、あくまでも彼に主導権がある、偽りの解放であることを示唆する皮肉なタイトルにも見えてきます。

果たして、イザベラはこのままピーターの支配する「ネバーランド」において、偽りの母親役であり続けるのでしょうか。それとも自由を手に入れ、血はつながらずとも子供たちの真の「ママ」になれるのでしょうか。エマたちと同様、不自由な世界の中で抗い、懸命に生きてきたイザベラの物語の結末もまた目が離せません。

参考文献

1　今村楯夫、島村法夫監修『ヘミングウェイ大事典』勉誠出版、二〇一二年
2　J・M・バリー『ピーター・パンとウェンディ』石井桃子訳、福音館書店、二〇〇三年
3　桂宥子、高田賢一、成瀬俊一編著『英米児童文学の黄金時代』ミネルヴァ書房、二〇〇五年
4　アンドリュー・バーキン『ロスト・ボーイズ　J・M・バリとピーター・パン誕生の物語』鈴木重敏訳、新書館、一九九一年
5　J.M. Barrie, *Peter Pan and Other Plays*, Oxford University Press, 1995.
6　ルイス・キャロル『不思議の国のアリス』河合祥一郎訳、角川文庫、二〇一〇年
7　フィリップ・アリエス『〈子供〉の誕生―アンシァン・レジーム期の子供と家族生活』杉山光信、杉山恵美子訳、みすず書房、一九八〇年
8　ジョン・ロック『人間知性論（一）』大槻春彦訳、岩波書店、一九七二年
9　ジャン・ジャック・ルソー『エミール（上）』今野一雄訳、岩波書店、一九六二年
10　白井澄子、笹田裕子編著『英米児童文化55のキーワード』ミネルヴァ書房、二〇一三年
11　桂宥子、牟田おりえ編著『はじめて学ぶ英米児童文学史』ミネルヴァ書房、二〇〇四年
12　ステファニー・ラヴェット・ストッフル『「不思議の国のアリス」の誕生』笠井勝子監修、創元社、一九九八年
13　『約束のネバーランド』公式サイト「白井カイウ先生&出水ぽすか先生　約ネバ質問箱　回答」https://sp.shonenjump.com/j/sp_neverland/shitsumonbako/
14　ルイス・キャロル『鏡の国のアリス』河合祥一郎訳、角川文庫、二〇一〇年

15 ハンス・ビーダーマン『図説 世界シンボル事典』藤代幸一監訳、宮本絢子、伊藤直子、宮内伸子訳、八坂書房、二〇〇〇年
16 神山妙子編著『はじめて学ぶイギリス文学史』ミネルヴァ書房、一九八九年
17 メアリー・シェリー『フランケンシュタイン あるいは現代のプロメシュース』菅沼慶一訳、共同文化社、二〇〇三年
18 デビッド・デイ『トールキン指輪物語事典』仁保真佐子訳、原書房、一九九四年
19 J・R・R・トールキン『新版シルマリルの物語』田中明子訳、評論社、二〇〇三年
20 ハンフリー・カーペンター『J・R・R・トールキン 或る伝記』菅原啓州訳、評論社、一九八二年
21 J・R・R・トールキン『ホビット―ゆきてかえりし物語』山本史郎訳、原書房、一九九七年
22 黒岩徹、岩田託子編『ヨーロッパ読本 イギリス』河出書房新社、二〇〇七年
23 イギリス文化事典編集委員会『イギリス文化事典』丸善出版、二〇一四年
24 板倉厳一郎『大学で読むハリー・ポッター』松柏社、二〇一二年
25 佐久間康夫、中野葉子、太田雅孝編著『概説 イギリス文化史』ミネルヴァ書房、二〇〇二年
26 中野京子、早川いくを『怖いへんないきものの絵』幻冬舎、二〇一八年
27 シャルル・ペロー『ペロー童話集』荒俣宏訳、新書館、二〇一〇年
28 中村圭志『図解 世界5大宗教全史』ディスカヴァー・トゥエンティワン、二〇一六年
29 『聖書 新共同訳』日本聖書協会、二〇〇四年
30 沼野充義編『ユダヤ学のすべて』新書館、一九九九年
31 G・シュテンベルガー『ユダヤ教 歴史・信仰・文化』A・ルスターホルツ、野口崇子訳、教文館、二〇一五年

32 鶴岡真弓、松村一男『図説ケルトの歴史』河出書房新社、一九九九年
33 井村君江『妖精の系譜』新書館、一九八八年
34 永田喜文『ケルトを旅する52章 イギリス・アイルランド』明石書店、二〇一二年
35 アンソニー・F・アヴェニ『ヨーロッパ祝祭日の謎を解く』勝貴子訳、創元社、二〇〇六年
36 白井カイウ、出水ぽすか『約束のネバーランド 13巻 特装版 ESCAPE～脱獄編イラストブック～』集英社、二〇一九年
37 小田隆裕、柏木博、巽孝之他『事典現代のアメリカ』大修館書店、二〇〇四年
38 ベティ・フリーダン『新しい女性の創造 改訂版』三浦冨美子訳、二〇〇四年
39 ブルーノ・ベッテルハイム『昔話の魔力』波多野完治他訳、評論社、一九七八年
40 『週プレNEWS』「話題の異色作『約束のネバーランド』著者が語る「300ページの持込みからデビューまで」」二〇一七年二月四日 https://wpb.shueisha.co.jp/news/entertainment/2017/02/04/79445/
41 天野正子、伊藤公雄、伊藤るり他編著『新編 日本のフェミニズム12 男性学』岩波書店、二〇〇九年
42 カズオ・イシグロ『わたしを離さないで』土屋政雄訳、早川書房、二〇〇六年
43 田尻芳樹、三村尚央編『カズオ・イシグロ『わたしを離さないで』を読む』水声社、二〇一八年
44 カズオ・イシグロ『特急二十世紀の夜と、いくつかの小さなブレークスルー：ノーベル文学賞受賞記念講演』土屋政雄訳、早川書房、二〇一八年
45 笹田直人、野田研一、山里勝己編著『アメリカ文化55のキーワード』ミネルヴァ書房、二〇一三年

『約束のネバーランド』をより楽しむためのブックガイド

◆イギリス文学

J・M・バリー『ピーター・パンとウェンディ』石井桃子訳、福音館書店、二〇〇三年

何はともあれこれは読まなくては！　みんな知ってる、でも意外に読んでいない『ピーター・パン』の小説。ディズニー・アニメとは異なる、子供達の残酷さやピーター・パンの横暴、そしてフック船長の格好良さに驚かされます。P・J・ホーガン監督の映画『ピーター・パン』（二〇〇三年）はこの原作に忠実に作られており、お勧めです。

ルイス・キャロル『不思議の国のアリス』河合祥一郎訳、角川文庫、二〇一〇年

こちらも『約ネバ』と関わりの深い、イギリス児童文学の金字塔です。多くの映画やアニメが作られた人気作品ですが、実際に原作を読んでみると、予想以上の不可解さ、ナンセンスさに驚かされるかもしれません。しかし、その言葉遊びに満ちた「ナンセンス」さこそ、子供の無垢な心を表現する方法でもあるのです。翻訳も様々な種類がありますが、シェイクスピアの翻訳で有名な河合祥一郎による翻訳版は、ダジャレや詩のリズムなどが巧みに表現されています。さらに興味が湧いたなら、ぜひ英語の原書で読み、ルイス・キャロルの言葉遊びを体感してみて下さい。

J・R・R・トールキン『ホビット―ゆきてかえりし物語』山本史郎訳、原書房、一九九七年

「中つ国」を舞台とした壮大な冒険の幕開けを飾る物語ですが、小人族のホビットを主人公としたドラゴン退治に宝探しという、まるで子供の夢を詰め込んだような親しみやすさもあり、まず最初に読み始めるトールキン作品の一冊としてお勧めです。

ピーター・ジャクソン監督による映画版『ホビット』三部作（二〇一二〜二〇一四年）もお勧めです。特に財宝の山に囲まれて心を病むドワーフの王と王子の場面は、財宝に囲まれて一人空しさを覚えるレグラ

ヴァリマの心象風景と見事に重なるように思われます。またエルフの王スランドゥイルの美しい外見と無慈悲な性格は、貴族鬼ギーランとつながるかのようです。

J・R・R・トールキン『新版　指輪物語　第一部　旅の仲間』『新版　指輪物語　第二部　二つの塔』『新版　指輪物語　第三部　王の帰還』瀬田貞二、田中明子訳、評論社、一九九二年

世界を支配する魔法の指輪を巡る、ホビット、人間、エルフたちの一大叙事詩的ファンタジーの傑作です。『ホビット』の冒険の後、偶然魔法の指輪を手にしてしまったホビットが、予期せぬ大戦争に身を投じることになります。

トールキンが描くファンタジー世界の美しさをぜひ小説で味わっていただきたいと思いますが、「長すぎて読むのが大変」という方は、ピーター・ジャクソン監督の映画版『ロード・オブ・ザ・リング』三部作（二〇〇一～二〇〇三年）から鑑賞するのもありです（こちらもまあまあの長さですが……）。

カズオ・イシグロ『わたしを離さないで』土屋政雄訳、早川書房、二〇〇六年

『約ネバ』のインスピレーションの源（？）と思われるクローンの生徒達の物語。GFハウスを思わせる施設だけでなく、Λ《ラムダ》7214のような人体改良実験や量産農園のような非人道的な施設の存在なども匂《にお》わされており、『約ネバ』との類似や違いを見つけながら読むのもありです。マーク・ロマネク監督の映画版（二〇一〇年）も美しく悲しい映像美でお勧めです。

◆イギリス文化

木下卓、窪田憲子、久守和子編著『イギリス文化55のキーワード』ミネルヴァ書房、二〇〇九年

イギリスの歴史や階級社会から、ビートルズやアフタヌーンティーといった文化や芸術、シェイクスピアなどの文学まで、豊富な写真で分かりやすく説明したイギリス文化入門書。同じシリーズに『アメリカ文化55のキーワード』もあり、こちらもお勧め。

◆児童文化

白井澄子、笹田裕子編著『英米児童文化55のキーワード』ミネルヴァ書房、二〇一三年

イギリスにおける子供観の変遷から、子供の遊び、子供服、児童文学、ファンタジーなど、多彩な角度から「英米児童文化」を紹介した深く楽しい入門書です。

◆宗教

中村圭志『図解　世界5大宗教全史』ディスカヴァー・トゥエンティワン、二〇一六年

タイトルは重々しいですが、かわいいイラストとチャートで仏教、キリスト教、イスラム教、ユダヤ教、ヒンドゥー教などの歴史や教義、思想が分かりやすく紹介されています。読みやすいのに、かなり深いことまで書かれており、これ一冊だけでいろいろな小説や映画の理解が深まります。

◆ジェンダー

ベティ・フリーダン『新しい女性の創造　改訂版』三浦冨美子訳、大和書房、二〇〇四年

女性の権利や生き方についての学問であるフェミニズムや、生物学的性差とは別に作り上げられた、「男らしさ／女らしさ」といった男女観であるジェンダーに関する本は無数にあります。そのため選ぶのが非常に難しいのですが、まずは原点ということでこの一冊を。一九五〇年代アメリカの「幸福」な郊外の主婦の抱えた憂鬱から、「女らしさの神話」の問題を明らかにします。学生達が自分の将来をイメージできずに悩むことや、男性の生き方も制限されていること、生きがいと家事と仕事のバランスをどう取るべきかなど、現代にも通じる問題が議論されています。

木村涼子、熊安貴美江、伊田久美子編著『よくわかるジェンダー・スタディーズ―人文社会科学から自然科学まで』ミネルヴァ書房、二〇一三年

「ジェンダーって何だろう」「フェミニズムはどう変化したの？」「男性学とは？」という基本的な疑問を、ジェンダー研究の歴史、社会システム、法律、労働といった多角的な視点から、丁寧かつ明快に説明してくれる解説書。混沌《こんとん》としがちなジェンダー研究を俯瞰できる、レポートにも役立つ客観的な資料としてお勧めです。

戸田　慧（とだ　けい）

一九八五年奈良県生まれ。広島女学院大学人文学部国際英語学科准教授。関西学院大学大学院文学研究科博士後期課程修了。博士（文学）。専門はアメリカ文学。共著書は『アメリカン・ロード　光と陰のネットワーク』（英宝社）、『ヘミングウェイと老い』（松籟社）、『アーネスト・ヘミングウェイ　21世紀から読む作家の地平』（臨川書店）など。

英《えい》米《べい》文《ぶん》学者《がくしゃ》と読《よ》む「約束《やくそく》のネバーランド」

集英社新書一〇三一F

二〇二〇年八月二二日　第一刷発行

著者……戸田《とだ》　慧《けい》
発行者……茨木政彦
発行所……株式会社集英社
東京都千代田区一ツ橋二-五-一〇　郵便番号一〇一-八〇五〇
電話　〇三-三二三〇-六三九一（編集部）
〇三-三二三〇-六〇八〇（読者係）
〇三-三二三〇-六三九三（販売部）書店専用

装幀……原　研哉　組版……伊藤明彦（アイ・デプト.）
印刷所……凸版印刷株式会社
製本所……加藤製本株式会社

定価はカバーに表示してあります。

ISBN 978-4-08-721131-3 C0290